卵巣腫瘍・卵管癌・腹膜癌取扱い規約 病理編

The General Rules for Clinical and Pathological Management of Ovarian Tumor, Fallopian Tube Cancer, and Primary Peritoneal Cancer　Pathological edition

第2版
2022年12月

日本産科婦人科学会・日本病理学会●編

December 2022（The 2nd Edition）
Japan Society of Obstetrics and Gynecology
The Japanese Society of Pathology

金原出版株式会社

卵巣腫瘍・卵管癌・腹膜癌取扱い規約

病理編　第2版　序

　『卵巣腫瘍・卵管癌・腹膜癌取扱い規約 病理編 第2版』をここに上梓する。
　本規約は，2020年9月に刊行された世界保健機関（World Health Organization：WHO）による女性生殖器腫瘍分類 第5版（WHO分類 第5版）に準拠したものである。WHO分類 第5版における特筆すべき点は，卵巣・卵管・腹膜に存在する高異型度漿液性癌の原発巣を決定するための新たな診断基準が正式に採用・記載されたことであり，本書においてもこれを採用した。今後は我が国においても，高異型度漿液性癌の多くが卵管原発と診断されるものと考えられる。2014年春に発行されたWHO分類 第4版では，蓄積された研究結果に基づき，漿液性癌には低異型度漿液性癌と高異型度漿液性癌という2つの組織型があること，両者は形態のみならず，発生過程，分子遺伝学的背景，生物学的振る舞いが異なり，低異型度漿液性癌が真の卵巣癌であるのに対し，高異型度漿液性癌の多くが卵管を起源として卵巣や腹膜へ転移・進展したものであることが記載された。婦人科腫瘍の進行期分類の国際標準であるFIGO分類（2014）においても，卵巣腫瘍，卵管癌，腹膜癌の3つが包括して取り扱われることになった。このような背景のもと，我が国の『卵巣腫瘍取扱い規約』は『卵巣腫瘍・卵管癌・腹膜癌取扱い規約』と名称を変え，「臨床編 第1版」（杉山 徹委員長，安田政実病理系委員長）が2015年8月に，WHO分類 第4版に準拠した「病理編 第1版」（規約第1版）（杉山 徹委員長，安田政実病理系委員長）が2016年7月に発刊された。
　本規約の体裁は規約第1版を概ね踏襲したが，同時進行で改訂作業が行われた『子宮頸癌取扱い規約 病理編 第5版』および『子宮体癌取扱い規約 病理編 第5版』との統一性も重視し，冒頭に規約第1版およびWHO分類 第4版からの主な改訂点をまとめた。続いて，病理診断報告書の記載法と報告様式の例を提示し，切除・摘出検体の取扱いや術中迅速組織診断について解説し，進行期分類を掲載した点は規約第1版と同様である。がんゲノム医療の時代を迎えた今日，適切な検体の取扱いは，正確な組織診断と進行期の決定のみならず，分子遺伝学的解析に堪える品質のパラフィンブロックを作製するという観点からも必要不可欠であり，婦人科医と病理医の連携が図られることを期待したい。進行期は，FIGO分類（2014）とそれに対応するUICC 第8版を採用した。用語は，可能な限り日本産科婦人科学会 編『産科婦人科用語集・用語解説集』をはじめ各専門領域の用語を採用して統一を図り，WHO分類 第5版で新たに採用された用語については編集委員会での議論を踏まえて記述したが，齟齬が生じることがあり得ることをご理解いただきたい。図譜は，規約第1版で掲載したものに適宜追加，変更を加えた。

WHO分類 第5版の編集・改訂には，小西郁生京都大学名誉教授，片渕秀隆熊本大学名誉教授に加えて，本規約の改訂・編集に関わった三上芳喜熊本大学教授，清川貴子東京慈恵会医科大学教授らが参画し，改訂の背景にある思想と議論，歴史的変遷を踏まえながら編集作業を進めることが可能であった。本規約の改訂作業は，日本産科婦人科学会と日本病理学会から委員を迎えて2021年8月に開始され，幾度かのon-siteならびにon-line会議を経て推敲を重ね，2022年12月に発刊に至った。本規約が，精度の高い病理診断，病理医と産婦人科医の共通理解に基づいた最適な診療，臨床研究の発展，適正な癌登録事業に寄与することを祈念している。

2022年12月

日本産科婦人科学会婦人科腫瘍委員会　　　　　　　　　　　　委員長	永瀬　　智
卵巣腫瘍・卵管癌・腹膜癌取扱い規約改訂小委員会　　　　　　委員長	馬場　　長
日本病理学会卵巣腫瘍・卵管癌・腹膜癌取扱い規約改訂病理系委員会　委員長	清川　貴子

卵巣腫瘍・卵管癌・腹膜癌取扱い規約（病理編）
第2版委員会

日本産科婦人科学会婦人科腫瘍委員会（令和3～4年度）
委員長	永瀬　智
副委員長	川名　敬
委　員	小林裕明　　小林陽一　　添田　周　　田畑　務　　寺井義人
	西　洋孝　　馬場　長　　横山良仁　　吉野　潔　　渡部　洋

婦人科癌の取扱い規約改訂に関する小委員会（令和3～4年度）
委員長	馬場　長
委　員	小林陽一　　田畑　務　　吉野　潔　　渡部　洋

卵巣腫瘍・卵管癌・腹膜癌取扱い規約 病理編 第2版 改訂委員会
病理系委員長	清川貴子
婦人科系委員長	馬場　長
病理系委員	加藤哲子　　前田大地　　三上芳喜　　安田政実
婦人科系委員	小林陽一　　田畑　務　　吉野　潔　　渡部　洋
幹　事	安彦　郁＊　　徳永英樹　　宮本泰斗　　山上　亘

（50音順，＊主幹事）

目　次

1. 改訂の要点と留意事項 …………………………………………………………… 1
2. 病理診断報告書の記載法 ………………………………………………………… 3
    a. 高異型度漿液性癌の原発巣 ………………………………………………… 5
    b. 組織学的異型度（Grade）…………………………………………………… 5
    c. 治療効果判定 ………………………………………………………………… 6
    d. リンパ節転移の扱い ………………………………………………………… 6
3. 切除・摘出検体の取扱い ………………………………………………………… 8
    a. 固定 …………………………………………………………………………… 8
    b. 肉眼観察と切り出し ………………………………………………………… 8
4. 術中迅速組織診断 ………………………………………………………………… 11
5. 進行期分類 ………………………………………………………………………… 12
    a. 進行期分類（日産婦 2014，FIGO 2014）………………………………… 12
    b. TNM 分類（UICC 第 8 版）………………………………………………… 14
    c. FIGO 分類（2014）と TNM 分類（UICC 第 8 版）の対応 …………… 16
6. 組織学的分類 ……………………………………………………………………… 17
    a. はじめに ……………………………………………………………………… 17
    b. 卵巣腫瘍の臨床病理学的取扱いと国際疾病分類（腫瘍学）
       International Classification of Diseases for Oncology（ICD-O）………… 17
    c. 組織学的分類および ICD-O コード ……………………………………… 17
    d. 組織学的分類の説明 ………………………………………………………… 23
    1 卵巣腫瘍 Ovarian tumors
        Ⅰ 上皮性腫瘍 Epithelial tumors ………………………………………… 23
            A. 漿液性腫瘍 Serous tumors ………………………………………… 24
            B. 粘液性腫瘍 Mucinous tumors …………………………………… 27
            C. 類内膜腫瘍 Endometrioid tumors ……………………………… 29
            D. 明細胞腫瘍 Clear cell tumors …………………………………… 31
            E. 漿液粘液性腫瘍 Seromucinous tumors ………………………… 33
            F. ブレンナー腫瘍 Brenner tumors ………………………………… 34
            G. その他の癌 Other carcinomas …………………………………… 35
        Ⅱ 間葉系腫瘍 Mesenchymal tumors ……………………………………… 37
        Ⅲ 混合型上皮性間葉系腫瘍 Mixed epithelial and mesenchymal tumors …… 37
            A. 腺肉腫 Adenosarcoma …………………………………………… 37
        Ⅳ 性索間質性腫瘍 Sex cord-stromal tumors …………………………… 38

    A. 純粋型間質性腫瘍 Pure stromal tumors ································ 38
    B. 純粋型性索腫瘍 Pure sex cord tumors ································· 41
    C. 混合型性索間質性腫瘍 Mixed sex cord-stromal tumors ················ 44
Ⅴ 胚細胞腫瘍 Germ cell tumors ··· 46
    A. 奇形腫 Teratomas ··· 46
    B. 未分化胚細胞腫 Dysgerminoma ·· 47
    C. 卵黄嚢腫瘍 Yolk sac tumor ·· 48
    D. 胎芽性癌 Embryonal carcinoma ······································· 49
    E. 非妊娠性絨毛癌 Non-gestational choriocarcinoma ····················· 49
    F. 混合型胚細胞腫瘍 Mixed germ cell tumor ···························· 50
    G. 単胚葉性奇形腫 Monodermal teratomas および
        奇形腫から発生する体細胞型腫瘍 Somatic neoplasms arising from
        teratomas ··· 50
    H. 胚細胞・性索間質性腫瘍 Germ cell-sex cord-stromal tumors ········ 52
Ⅵ その他の腫瘍 Miscellaneous tumors ······································· 53
    A. ウォルフ管腫瘍 Wolffian tumor ······································· 53
    B. 高カルシウム血症型小細胞癌 Small cell carcinoma,
        hypercalcemic type ·· 54
    C. 充実性偽乳頭状腫瘍 Solid pseudopapillary neoplasm ·················· 54
    D. その他の腫瘍 Miscellaneous tumors ··································· 55
Ⅶ 腫瘍様病変 Tumor-like lesions ··· 55
    A. 子宮内膜症性嚢胞 Endometriotic cyst ································· 55
    B. 卵胞嚢胞 Follicle cyst ·· 56
    C. 黄体嚢胞 Corpus luteum cyst ·· 56
    D. 大型孤在性黄体化卵胞嚢胞 Large solitary luteinized follicle cyst ····· 56
    E. 黄体化過剰反応 Hyperreactio luteinalis ······························· 57
    F. 妊娠黄体腫 Pregnancy luteoma ·· 57
    G. 間質過形成 Stromal hyperplasia および
        間質莢膜細胞過形成 Stromal hyperthecosis ···························· 57
    H. 線維腫症 Fibromatosis ··· 57
    I. 広汎性浮腫 Massive edema ·· 58
    J. ライディッヒ細胞過形成 Leydig cell hyperplasia
        （門細胞過形成 Hilar cell hyperplasia）································ 58

　　　　K.　その他 Others ……………………………………………………… 58
　　Ⅷ 転移性腫瘍 Metastatic tumors ……………………………………………… 59
2 卵管腫瘍 Tubal tumors
　　Ⅰ 上皮性腫瘍 Epithelial tumors ………………………………………… 60
　　　　A.　漿液性腫瘍 Serous tumors ……………………………………… 60
3 腹膜腫瘍 Peritoneal tumors
　　Ⅰ 中皮腫瘍 Mesothelial tumors ………………………………………… 61
　　　　A.　アデノマトイド腫瘍 Adenomatoid tumor …………………… 61
　　　　B.　高分化型乳頭状中皮性腫瘍 Well-differentiated papillary
　　　　　　 mesothelial tumor ………………………………………………… 61
　　　　C.　中皮腫 Mesothelioma ……………………………………………… 62
　　Ⅱ 腹膜に特有な間葉系腫瘍 Mesenchymal tumors specific to peritoneum …… 63
　　　　A.　平滑筋腫瘍 Smooth muscle tumors ……………………………… 63
　　　　B.　その他の腫瘍 Other tumors ……………………………………… 63
　　Ⅲ ミュラー管型上皮性腫瘍 Müllerian-type epithelial tumors ………………… 65
　　Ⅳ 転移性腫瘍 Metastatic tumors …………………………………………… 65
　　　　A.　癌および肉腫 Carcinomas and sarcomas ………………………… 65
　　　　B.　腹膜偽粘液腫 Pseudomyxoma peritonei (PMP) ……………… 65
　　　　C.　膠腫症 Gliomatosis ………………………………………………… 66

7.　図　譜 …………………………………………………………………………… 67
8.　これまでの既刊の序 …………………………………………………………… 109

付1　卵巣腫瘍・卵管癌・腹膜癌の診断に用いられる免疫組織化学 ……………… 117
付2　臨床的取扱いに基づいた卵巣腫瘍の分類 ……………………………………… 121

索　引 ………………………………………………………………………………… 123

改訂の要点と留意事項

　WHO分類 第4版（2014年）から第5版（2020年）への移行に伴う本規約の主な改訂点を以下にまとめた。

- 病理診断報告様式（例）を変更した（**4頁**）。
- WHO分類 第5版にはプリント版と有料で閲覧可能なオンライン版があり，用語や分類の修正などがオンライン版に反映されるため両者の間には一部齟齬がある。本規約はオンラインの最新版（2022年10月31日現在）に基づいて記載した。
- ICD-Oコードを付記したWHO分類 第5版の分類リストを原文に準拠して掲載したが，本文中の診断名とは一部異なる（**17〜22頁**）。
- 従来「所属リンパ節」と邦訳されてきたregional lymph nodeは「領域リンパ節」として記載した。
- 病理総論的に腺癌に分類される組織型について，WHO分類 第5版では「carcinoma」，「adenocarcinoma」の表記が混在している。実地臨床ではいずれも許容されるが，本規約においては第1版を踏襲し，特殊なものを除いて「腺癌」ではなく「癌」（例：漿液性癌，類内膜癌）を使用することとした。
- 高異型度漿液性癌における原発巣の決定基準を記載した（**5頁**）。
- 境界悪性腫瘍 borderline tumorの同義語として併記されていたatypical proliferative tumorを削除した。
- 「微小乳頭状パターンを示す漿液性境界悪性腫瘍 serous borderline tumor with micropapillary pattern」は「微小乳頭状/篩状漿液性境界悪性腫瘍 serous borderline tumor, micropapillary/cribriform」に名称を変更し，同義語として併記されていた「非浸潤性低異型度漿液性癌 non-invasive low-grade serous carcinoma」を削除した（**24頁**）。
- 「微小浸潤性低異型度漿液性癌 microinvasive low-grade serous carcinoma」の概念と用語を採用した（**25頁**）。
- 卵巣漿液性境界悪性腫瘍で，卵巣外にも同様の腫瘍がみられる場合，従来は卵巣外病変をすべて「インプラント」と称し，組織学的に非浸潤性と浸潤性に分類していた。本規約では，WHO分類 第5版の用語を採用し，従来の非浸潤性インプラントのみを「インプラント」，従来の浸潤性インプラントは「低異型度漿液性癌」と称する（**25頁**）。
- 良性粘液性腫瘍の定義を，細胞質内粘液を有する胃・腸型ないしミュラー管型細胞の増殖よりなる良性腫瘍と変更した（**27頁**）。なお，粘液性境界悪性腫瘍および粘液性癌が，細胞質内粘液を有する胃・腸型細胞の増殖よりなる腫瘍であることに変更はない。
- 漿液粘液性癌を類内膜癌の亜型として位置づけた（**31頁**）。
- 上皮性悪性腫瘍の新たな組織型として中腎様腺癌 mesonephric-like adenocarcinoma,

脱分化癌，混合癌を追加した（**35 頁**）。
- 癌肉腫は，腫瘍の本質に則して上皮性腫瘍に再分類した（**36 頁**）。
- WHO 分類 第 4 版で削除されたギナンドロブラストーマを混合型性索間質性腫瘍の独立した組織型として追加した（**45 頁**）。
- WHO 分類 第 5 版では，子宮内膜症とその関連病変が臓器の枠をこえて独立した章（chapter）で扱われることになったが，本規約では卵巣子宮内膜症性嚢胞を卵巣の腫瘍様病変として記載した（**55 頁**）。
- 高分化型乳頭状中皮腫 well-differentiated papillary mesothelioma, benign は高分化型乳頭状中皮性腫瘍 well-differentiated papillary mesothelial tumor に名称を変更した（**61 頁**）。
- 悪性中皮腫 malignant mesothelioma は中皮腫 mesothelioma に名称を変更した（**62 頁**）。
- WHO 分類 第 5 版では間葉系腫瘍，造血器・リンパ性腫瘍，メラノサイト腫瘍，神経内分泌腫瘍などの臓器横断的な腫瘍が独立した章（chapter）で扱われているが，本規約では，これらのうち主なものについてのみ記載した。
- 診断の基本は形態（組織像）であり，多くの場合，免疫組織化学は不要である。しかし，診断に困難をきたす場合は免疫組織化学が補助的役割を果たしうることから，主なものを表にまとめて付録に掲載した（**118〜119 頁**）。
- 従来の「臨床的取扱いに基づいた卵巣腫瘍の分類」は削除した。ただし，歴史的経緯を示す目的で，規約第 1 版の表を付録に掲載した（**122 頁**）。なお，同表には，現在は使用されていない組織型もある。

2 病理診断報告書の記載法

　病理診断報告書に記載される内容として，組織型，組織学的異型度（Grade），進行期が重要である．近年，国際的には診療に必要な情報を項目別に記載する様式（概要病理報告 synoptic pathology reporting）が用いられるようになっている．その一例として，College of American Pathologists（CAP）ならびに International Collaboration on Cancer Reporting（ICCR）のガイドラインを参考とした病理診断報告様式（例）を以下に記す．本規約ではこの報告様式の使用を推奨するが，進行中の臨床研究や施設の実情などに応じて，病理医と婦人科医が協議をした上で改変して使用してもよい．

参考文献

1) College of American Pathologists. Cancer Protocol Templates
   https://www.cap.org/protocols-and-guidelines/cancer-reporting-tools/cancer-protocol-templates
2) International Collaboration on Cancer Reporting. Ovary, fallopian tube and primary peritoneal carcinoma histopathology reporting guide
   https://www.iccr-cancer.org/wp-content/uploads/2022/02/ICCR-Ovary-2nd-edn-v1-bookmark.pdf

(1) 臨床病歴
　　遺伝性乳癌卵巣癌（BRCA1/2 変異）　Lynch 症候群　その他
(2) 術前化学療法施行の有無　　なし　あり
(3) 手術術式　　卵巣摘出　卵管・卵巣摘出　卵巣部分切除　子宮全摘出　大網切除
　　腹膜生検　その他（　　　　）
(4) 検体　　卵巣　卵管　子宮体部　子宮頸部　大網　腹膜　その他（　　　）
(5) 腫瘍の主座　　右卵巣　左卵巣　右卵管　左卵管　腹膜　大網
　　確定困難（　　　　）
(6) 原発巣*　　右卵巣　左卵巣　右卵管　左卵管
　　右卵管・卵巣*　左卵管・卵巣*　腹膜*　確定困難　その他（　　　）
(7) 腫瘍径（高異型度漿液性癌の場合は，原発巣と卵巣それぞれの径）

(8) 卵巣　被膜破綻の有無　　なし　あり
(9) 被膜外への腫瘍の露出の有無　　なし　あり
(10) 組織型
(11) 組織学的異型度（Grade）（**5 頁**）
(12) 浸潤様式（粘液性癌の場合）　　癒合/圧排性　　侵入性
(13) 脈管侵襲の有無　　なし　あり
(14) 腫瘍の組織学的広がり
　　卵巣　卵管　子宮　腹膜　大網　後腹膜リンパ節　その他（　　　）
　　漿液性/漿液粘液性境界悪性腫瘍で腹膜病変がある場合（インプラント，低異型度癌）（**25 頁**）
(15) 漿液性卵管上皮内癌（STIC）
　　SEE-FIM**法に準じた卵管采の検索あり　：　STIC　なし，あり（左，右，両側）
　　SEE-FIM**法に準じた卵管采の検索なし
(16) 腹水・腹腔洗浄細胞診　　陰性　陽性
(17) リンパ節転移
　　（なし　あり　：　陽性リンパ節総数/検索リンパ節総数，部位別陽性リンパ節個数；
　　ありの場合　径 10 mm をこえる/10 mm 以下のリンパ節転移の部位と数　　　　）

(18) 治療効果（術前化学療法を施行した場合）　　optional
(19) 補助的診断法の併用の有無と種類　　なし　あり
　　　　免疫組織化学　遺伝子検索
　　　　その他（　　　）
(20) 進行期 pTNM（UICC 8th）
(21) 合併病変　　子宮内膜症性嚢胞　その他（　　　）

*高異型度漿液性癌の原発巣の詳細は **5 頁**を参照のこと。
SEE-FIM：sectioning and extensively examining the fimbriated end（9 頁 図 2**）

a. 高異型度漿液性癌の原発巣

近年，卵巣や腹膜の高異型度漿液性癌の大多数が，腫瘍の主座（腫瘍が最も大きい臓器）にかかわらず卵管原発であることが指摘され，WHO 分類 第 5 版（2020 年）では高異型度漿液性癌の原発巣の決定基準が以下のように記載された。本規約においても，この基準を採用した。高異型度漿液性癌の原発巣は図 1 に従って決定する。この診断には，卵管の肉眼所見，SEE-FIM（sectioning and extensively examining the fimbriated end）法を含む卵管と卵巣の適切な切り出し，場合によっては子宮内膜漿液性癌との鑑別が重要である。高異型度漿液性癌と子宮内膜漿液性癌は，組織像のみで鑑別することは困難で，その広がりや周囲の所見を加味して総合的に判断する。免疫組織化学的に，高異型度漿液性癌は estrogen receptor（ER）および WT-1 陽性の頻度が高いのに対し，子宮内膜漿液性癌の多くは ER の発現が減弱し WT-1 は陰性である。子宮内膜漿液性癌が否定された場合にこの基準を適用する。

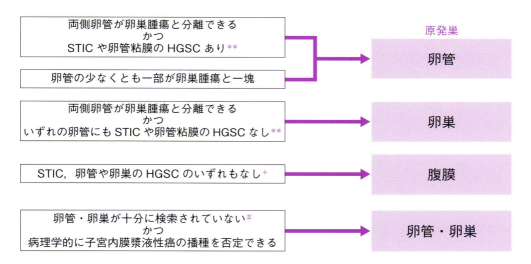

STIC：漿液性卵管上皮内癌
HGSC：高異型度漿液性癌
**SEE-FIM 法ないしそれに準じた卵管の検索
+卵管（SEE-FIM 法ないしそれに準じて）・卵巣の十分な検索が必要
#SEE-FIM 法ないしそれに準じた卵管の検索がなされていない場合（生検検体，卵管切除後，卵巣切除後を含む），化学療法後で卵管を含めて腫瘍を確認できないあるいは卵管上皮の変性が著しい場合など

図 1　高異型度漿液性癌の原発巣決定方法

b. 組織学的異型度（Grade）

形態的評価による悪性腫瘍の生物学的な侵襲性の指標は組織学的グレード（Grade）とよばれ，本規約では Grade の表記を前版と同様「異型度」としている。American Joint Committee on Cancer（AJCC），Union for International Cancer Control（UICC）の分類では組織学的異型度は G1（Grade 1），G2（Grade 2），G3（Grade 3）と表記され，分化度分類の高分化，中分化，低分化に相当する。

卵巣腫瘍の組織学的異型度（Grade）は，組織型や進行期とともに治療方針を決定するために必要となる場合がある。卵巣上皮性腫瘍では，種々の分類が知られる一方で，世界的に受け入れられている統一された分類はない。また，従来WHO分類では細胞異型と構築に基づいてGrade 1, Grade 2, Grade 3に分けられていたが，その定義も必ずしも明確ではない。その中で，類内膜癌では，子宮体部の類内膜癌と同様に充実性成分の量によって異型度が決定される。すなわち，充実性増殖の占める割合が5％以下，6～50％，50％をこえる場合にそれぞれGrade 1（高分化），Grade 2（中分化），Grade 3（低分化）とし，Grade 1とGrade 2で細胞異型が高度の場合はGradeを1段階上げる。漿液性癌は低異型度（low-grade）と高異型度（high-grade）に二分される。粘液性癌は，異型度よりも発育様式が癒合/圧排性（expansile type），侵入性（infiltrating type）のいずれであるかが予後の観点から重要である。明細胞癌は異型度の臨床的意義が確立されていないため，評価対象とならない。

　上皮性腫瘍以外の異型度に関して，セルトリ・ライディッヒ細胞腫については**44頁～**を，未熟奇形腫については**46頁～**を参照されたい。

c. 治療効果判定

　卵巣癌に対する化学療法の組織学的治療効果については，広く受け入れられている判定基準がないのが現状であり，効果判定の記載は必須ではない。CAPのガイドラインでは「効果なし，あるいはほとんど効果なし」，「著効（ごく微量の残存腫瘍）」といった記載が用いられている[1]。ICCRでは，高異型度漿液性癌の大網の病変に対して，効果判定をスコア1（効果なし，またはほとんどなし：viableな腫瘍細胞の集塊が残存しており，退縮に伴う線維炎症性変化を少数の病巣でわずかに認めるのみ），スコア2（効果中等度：治療により病巣は広範に退縮しているが，多数の残存病巣が同定できる状態），スコア3（効果大で腫瘍細胞の残存をほとんど認めない：大部分は退縮し，腫瘍細胞が孤在性あるいは最大でも径2mm未満の小集塊を形成しているに過ぎないか，残存腫瘍が認められない状態）に分類している[2,3]。

d. リンパ節転移の扱い

　一般に，径0.2mm以下のリンパ節転移巣は遊離腫瘍細胞 isolated tumor cells（ITC），0.2mmをこえるが2mm以下の転移巣は微小転移 micrometastasisとよばれる。卵巣腫瘍・卵管癌について，FIGO（International Federation of Gynecology and Obstetrics）ではITCや微小転移に関する別個の規定はなく，UICC第8版では総説で紹介されているのみであり，pN1として扱われる[3]。一方，AJCC第8版ではpN0（i＋）の記載が正式に採用されている。いずれにしても，分類間の変換が可能になるよう，ITC，微小転移，2mmをこえる転移病巣の別を記載することが望ましい。

参考文献

1) College of American Pathologists. Cancer Protocol Templates
   https://www.cap.org/protocols-and-guidelines/cancer-reporting-tools/cancer-protocol-templates
2) Böhm S, Faruqi A, Said I, et al. Chemotherapy response score: development and validation of a system to quantify histopathologic response to neoadjuvant chemotherapy in tubo-ovarian high-grade serous carcinoma. J Clin Oncol 2015; 33: 2457-2463
3) International Collaboration on Cancer Reporting. Ovary, Fallopian Tube and Primary Peritoneal Carcinomas
   https://www.iccr-cancer.org/datasets/published-datasets/female-reproductive/ovary-ft-pp/

3 切除・摘出検体の取扱い

a. 固定

　検体は，切除・摘出後速やかに固定する．切除・摘出後 30 分以内に固定することが困難な場合は，4℃に保存して 3 時間以内に固定することが望ましい．固定が不良な検体は形態診断や免疫組織化学的検索に支障をきたすことがある．適切な固定は，将来的に遺伝子検査が必要になった場合にも重要である．固定時には，適宜入割し，大きさに余裕のある広口容器に入れ，検体全体が浸かる十分量の固定液（検体の体積の少なくとも 10 倍）に浸漬する．固定液は，10％中性緩衝ホルマリン液を用いる．子宮や腸管は入割後，コルク板などに張り付けて固定液に浸漬する．固定時間は 6〜48 時間程度が望ましく，未固定や過固定（特に 3 日をこえる固定）を避けることが必須である．

b. 肉眼観察と切り出し

　①大きさ・重量，②被膜面の所見や周囲臓器との関係，③割面や内容物の性状，④卵管の状態，⑤合併切除された臓器（病巣が片側性の場合の対側卵巣を含む）の性状などを観察して記録する．

　切り出すブロックの数は，切除時の腫瘍径 1 cm あたり 1 個を目安とするが，肉眼所見や推測される組織型によっても異なり，個々の症例ごとに柔軟な対応が必要である．割面の写真やコピーは，組織所見との対比のために重要である．

(1) 一般的注意事項

①術者は，腫瘍径と被膜破綻の有無を申し込み用紙に記載する．被膜破綻がある場合は，被膜破綻が術前，術中のいずれに生じたのかも記載する．

②腫瘍の大きさ（径，あるいは再構築した 3 方向を測定）を記録する．

③卵巣の被膜面を観察し，破綻あるいは腫瘍の被膜表面への露出，癒着の有無を確認する．所見がある部分は切り出しの対象となるので，インクなどで印をつけておくとよい．

④卵管を確認し，特に卵管采まで走行が追えるかも含めて観察する．卵管が腫瘤と一塊となりその走行が不明な場合はその旨を記録する．

⑤腫瘍の最大径（入割済みの場合にはそれに垂直方向でも可）に平行に 1〜2 cm の間隔で入割し，割面を観察する．

⑥腫瘍の最大割面を中心に，肉眼的に異なる所見を呈する部分を含めて切り出す．

⑦被膜破綻あるいは被膜表面への露出や被膜直下への浸潤が疑われる部分，癒着痕とみられる部分を切り出す．

⑧悪性腫瘍，特に高異型度漿液性癌が推定される症例では，両側の卵管を SEE-FIM protocol に従って，卵管采は長軸方向に，卵管本体は卵管の短軸に沿って全割・全包埋し標本を作製することが望ましい（図 2）．これが困難な場合，少なくとも卵管采を全割

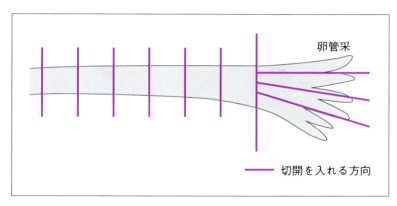

図2 卵管の切り出し例

し，残りの卵管2〜3カ所の短軸に平行な切片とともに標本を作製する。
⑨腫瘍と卵管をともに含むブロックも切り出す。
⑩同時に摘出された臓器を切り出す。対側卵巣は，肉眼的病巣がみられない場合でも，顕微鏡的病巣を認めることがあるため必ず切り出す。
⑪組織標本を鏡検後，追加切り出しが必要なことがある。例えば，組織型の決定が難しい腫瘍，浸潤の有無の判断に迷う例では，追加切り出しにより典型像が得られることがある。

(2) 腫瘍の組織型や良悪性が肉眼所見から推測できる場合ならびに境界悪性腫瘍の対応

①漿液性腫瘍

肥厚あるいは顆粒状，結節状，乳頭状などの隆起がみられる囊胞は，十分な数のブロックを切り出す。内腔が平滑な囊胞は良性のことが多いので，最初から多数のブロックを切り出す必要はない。

②粘液性腫瘍

浸潤癌が一部にのみ認められることがあるので，入念な検索が必要である。特に，囊胞壁に肥厚を認める部位からの切り出しは不可欠であるが，肉眼的に異なる部分からは必ず標本を作製する。上皮内癌や微小浸潤を伴う境界悪性腫瘍，圧排性浸潤を示す癌では，切り出し個数が十分かを再確認し，必要に応じて追加切り出しを行い，侵入性浸潤像がないことを確認する。切り出すブロック数の目安として，腫瘍径が10 cmをこえる場合は，最終的に（追加切り出しも含めて）径1 cmあたり2個が望ましい。

③奇形腫

奇形腫が考えられる場合，囊胞内に含まれる皮脂様物を除去し，肉眼所見を観察する。皮様結節（ロキタンスキー結節 Rokitansky nodule）や壁の肥厚部は未熟な成分や悪性成分が含まれている可能性があるため，必ず切り出す。鏡検後，特に中枢神経の成分が多く認められる場合には追加切り出しを考慮する。

④子宮内膜症性囊胞

チョコレート様の内容を除去し，囊胞壁の肥厚や隆起性部分があれば同部を含めて切り出す。組織学的に子宮内膜症の上皮成分に異型を認めた場合には，追加切り出しを行い詳

細に検索する。

⑤良悪性の明らかな腫瘍

進行した悪性腫瘍や，割面が均一で良性と考えられる線維腫などは，代表的部分を数カ所切り出す。

⑥境界悪性腫瘍

組織学的検索の結果，境界悪性腫瘍であることが判明したにもかかわらずブロック数が目安を大幅に下回っている場合は，追加切り出しを行い，浸潤癌を除外する。結果的に，腫瘍径1cmあたり1～2ブロックとなることが望ましい。例えば，明細胞境界悪性腫瘍は極めて稀で，ほとんどが明細胞癌を併存していることから，十分な切り出しを行って浸潤がないことを確認した上で確定するべきである。また，漿液性境界悪性腫瘍で腹膜に低異型度漿液性癌を認める場合も，卵巣の追加切り出しを考慮する。

(3) 大網と腹膜の切り出し法

卵巣腫瘍・卵管癌・腹膜癌では主病変の他に大網や腹膜に病変を伴うことがある。大網は大きさ（水平方向×厚さ）を記録し，肉眼的に明らかな腫瘍性病巣があれば，病巣の最大径を測定し，播種ないしインプラントが浸潤性か非浸潤性かを確認できるように切り出す。腫瘤を認めなくても，視診および触診で疑われる部位があればそれらを切り出す。疑わしい所見がない場合，切り出すブロック数の目安は，化学療法が行われていない場合は任意に3～5個分，化学療法後の症例では4～6個とする。腹膜生検は，腹膜面に垂直な標本を作製する。

4 術中迅速組織診断

　術中迅速診断の適応は，①診断結果によって術式が変わる場合，②目的とする病変が採取されているかの判定が必要な場合である。卵巣腫瘍は術前の生検が困難であるため，腫瘍の良・悪性や組織型，卵巣外病変の性状の確認を目的として，術中迅速診断が適宜行われる。術中迅速診断は，時間的制約，採取標本数の制限，質的に通常の標本に劣る凍結切片という不利な条件で診断せざるを得ないにもかかわらず，診断結果が手術術式や手術範囲の決定に直接影響する。術前に十分吟味し，術者と病理医の双方が適応と限界を十分に理解した上で実施する。病理医は，過剰診断 overdiagnosis を防ぐように心がける。

　原則として腫瘍全体を提出し，病理医が肉眼所見を詳細に観察した上で標本を採取する。術者が特定部位の検索を望む場合は，インクや縫合糸等で印をつけ，その旨を病理診断申込書に明記する。病理診断申込書には，既往歴，被膜破綻の有無，腹腔内所見（腫瘤の有無，腹水の有無や性状など）も記載する。

　提出された検体は，被膜面や卵管の走行を含む全体像を観察後，入割する。割面の観察で悪性の可能性が疑われる充実部や乳頭状部分から必要最小限の検体採取を行う。診断困難な場合は，肉眼像を再度観察の上，追加標本の作製を適宜考慮する。ただし，多数の標本を作製しても必ずしも正診率が上がるわけではないことに留意する。腫瘍の捺印細胞診が診断の補助になることもある。診断結果は可及的速やかに術者に報告する。最終診断は，術後に腫瘍全体の十分な検索によって行う。

5 進行期分類

a. 進行期分類（日産婦 2014, FIGO 2014）

　FIGOでは，2014年，従来の卵巣癌の進行期に代わって「卵巣癌・卵管癌・腹膜癌」のカテゴリーの新しい進行期を提示した。なお，従来の「手術進行期分類」は「進行期分類」と称されることになり，本規約でもそれを採用した。

Ⅰ期：卵巣あるいは卵管内限局発育
　ⅠA期：腫瘍が一側の卵巣（被膜破綻がない）あるいは卵管に限局し，被膜表面への浸潤が認められないもの。腹水または洗浄液の細胞診にて悪性細胞の認められないもの
　ⅠB期：腫瘍が両側の卵巣（被膜破綻がない）あるいは卵管に限局し，被膜表面への浸潤が認められないもの。腹水または洗浄液の細胞診にて悪性細胞の認められないもの
　ⅠC期：腫瘍が一側または両側の卵巣あるいは卵管に限局するが，以下のいずれかが認められるもの
　　ⅠC1期：手術操作による被膜破綻
　　ⅠC2期：自然被膜破綻あるいは被膜表面への浸潤
　　ⅠC3期：腹水または腹腔洗浄細胞診に悪性細胞が認められるもの
Ⅱ期：腫瘍が一側または両側の卵巣あるいは卵管に存在し，さらに骨盤内（小骨盤腔）への進展を認めるもの，あるいは原発性腹膜癌
　ⅡA期：進展ならびに／あるいは転移が子宮ならびに／あるいは卵管ならびに／あるいは卵巣に及ぶもの
　ⅡB期：他の骨盤部腹腔内臓器に進展するもの
Ⅲ期：腫瘍が一側または両側の卵巣あるいは卵管に存在し，あるいは原発性腹膜癌で，細胞学的あるいは組織学的に確認された骨盤外の腹膜播種ならびに／あるいは後腹膜リンパ節転移を認めるもの
　ⅢA1期：後腹膜リンパ節転移陽性のみを認めるもの（細胞学的あるいは組織学的に確認）
　　ⅢA1（ⅰ）期：転移巣最大径10 mm以下
　　ⅢA1（ⅱ）期：転移巣最大径10 mmをこえる
　ⅢA2期：後腹膜リンパ節転移の有無にかかわらず，骨盤外に顕微鏡的播種を認めるもの

ⅢB期：後腹膜リンパ節転移の有無にかかわらず，最大径 2 cm 以下の腹腔内播種
　　　　　　を認めるもの
　　　ⅢC期：後腹膜リンパ節転移の有無にかかわらず，最大径 2 cm をこえる腹腔内播種
　　　　　　を認めるもの（実質転移を伴わない肝および脾の被膜への進展を含む）
　Ⅳ期：腹膜播種を除く遠隔転移
　　　ⅣA期：胸水中に悪性細胞を認める
　　　ⅣB期：実質転移ならびに腹腔外臓器（鼠径リンパ節ならびに腹腔外リンパ節を含
　　　　　　む）に転移を認めるもの

[分類にあたっての注意事項]

　卵巣癌・卵管癌・腹膜癌に共通する進行期分類である。
(1) 進行期分類とともに組織型や組織学的異型度を記録する。
(2) 卵巣内に限局した状態であったⅠ期では，卵巣あるいは卵管内限局発育と定義され，
　　ⅠC期では，細分類された。
　　　ⅠC1期：手術操作による被膜破綻
　　　ⅠC2期：自然被膜破綻あるいは被膜表面への浸潤
　　　ⅠC3期：腹水または腹腔洗浄細胞診に悪性細胞が認められるもの
　　であり，卵巣被膜破綻は，腫瘍細胞の腹膜腔への露出をもって診断する。
(3) 原発性腹膜癌にはⅠ期が存在しない。
(4) 腫瘍が両側の卵巣あるいは卵管に限局して存在している場合であっても，一方の卵巣
　　あるいは卵管が原発巣で，対側の卵巣あるいは卵管の病巣が播種巣あるいは転移巣と
　　判断される場合には，ⅠB期ではなくⅡA期とする。
(5) 手術操作による被膜破綻はⅠC1期に分類するが，組織学的に証明された腫瘍細胞の
　　露出を伴う強固な癒着はⅡ期とする。
(6) S状結腸は骨盤部腹腔内臓器に分類される。
(7) 骨盤内（小骨盤腔）へ進展するⅡ期に原発性腹膜癌が含まれたため，Ⅱc期（腫瘍発
　　育がⅡaまたはⅡbで被膜表面への浸潤や被膜破綻が認められたり，腹水または洗浄
　　液の細胞診にて悪性細胞の認められるもの）が削除された。
(8) Ⅲ期では，骨盤外の腹膜播種や後腹膜リンパ節転移について，細胞学的あるいは組織
　　学的に確認する必要がある。
　　リンパ節腫大のみでは転移と判定しない。転移巣最大径による細分類が追加された。
　　　ⅢA1 (i) 期：転移巣最大径 10 mm 以下
　　　ⅢA1 (ii) 期：転移巣最大径 10 mm をこえる
　　　ⅢA2期：後腹膜リンパ節転移の有無にかかわらず，骨盤外に顕微鏡的播種を認め
　　　　　　　るもの
(9) 遠隔転移を有する例をⅣ期としたが，胸水中に悪性細胞を認めるのみの例をⅣA期
　　とする。

(10) 腸管の貫壁性浸潤，臍転移，肝や脾への実質転移は肺転移や骨転移同様にⅣB期とする。ただし，大網から肝や脾への腫瘍の進展はⅣB期とせず，ⅢC期とする。
(11) 漿液性卵管上皮内癌（STIC）は，腹腔内へ広がるリスクを有する。このため，卵管や卵巣に高異型度漿液性癌を認めず，STICのみが認められる場合，ICCRでは卵管癌ⅠA期としており，本規約でもこれを採用した（ただし，日産婦2014にはこの点が記載されていない）（**60頁**，**漿液性卵管上皮内癌**）。

b. TNM分類（UICC第8版）

FIGO進行期分類（2014）に対応するTNM分類はUICC第8版である。
TNM分類は次の3つの因子に基づいて病変の解剖学的進展度を記載する。

T：原発腫瘍
N：領域リンパ節
M：遠隔転移

各々の広がりについては数字で付記する。

従来「所属リンパ節」と邦訳されてきたregional lymph nodeが第8版より「領域リンパ節」とされた。他領域でも「領域リンパ節」の語が用いられていることが多く，2019年に出版された『領域横断的がん取扱い規約 第1版』（日本癌治療学会・日本病理学会編）においても「領域リンパ節」の語を推奨している。このため，本規約においても「領域リンパ節」とよぶ。

境界悪性腫瘍で腹膜病変を有する場合は，悪性腫瘍の播種と同様に，骨盤内であればT2，骨盤外であればT3とし，リンパ節に腫瘍を認める場合はN1とする。進行期分類についても上記に準じて分類を行う。

T：原発腫瘍

TX　原発腫瘍の評価が不可能
T0　原発腫瘍を認めない
T1　卵巣（一側もしくは両側）または卵管に限局する腫瘍
　T1a　一側の卵巣または卵管に限局する腫瘍；被膜破綻なく，卵巣表面や卵管表面に腫瘍なし；腹水または腹腔洗浄液の細胞診にて悪性細胞なし
　T1b　両側の卵巣または卵管に限局する腫瘍；被膜破綻なく，卵巣表面や卵管表面に腫瘍なし；腹水または腹腔洗浄液の細胞診にて悪性細胞なし
　T1c　一側もしくは両側の卵巣または卵管に限局する腫瘍で，以下のいずれかを伴う：
　　T1c1　手術操作による被膜破綻
　　T1c2　術前の被膜破綻，または卵巣表面もしくは卵管表面の腫瘍
　　T1c3　腹水または腹腔洗浄液の細胞診にて悪性細胞が認められるもの
T2　一側もしくは両側の卵巣または卵管に浸潤する腫瘍で，骨盤内（骨盤縁より下）への進展を伴う，または原発性腹膜癌

T2a　子宮および／または卵管および／または卵巣に，進展および／または播種する腫瘍
T2b　腸を含む他の骨盤内組織への進展
T3　一側もしくは両側の卵巣または卵管に浸潤する腫瘍または原発性腹膜癌で，骨盤外の腹膜への広がるもの
T3a　骨盤外（骨盤縁より上）の顕微鏡的腹膜転移
T3b　骨盤縁をこえる肉眼的腹膜転移で，最大径が 2.0 cm 以下。骨盤外の腸への浸潤を含む
T3c　骨盤縁をこえる腹膜転移で，最大径が 2.0 cm をこえる。
　　　（肝と脾臓の被膜への腫瘍の進展を含むが，どちらの臓器も実質進展なし）

N：領域リンパ節

　領域リンパ節とは，骨盤リンパ節（閉鎖リンパ節，外腸骨リンパ節，鼠径上リンパ節，内腸骨リンパ節，総腸骨リンパ節，仙骨リンパ節，基靱帯リンパ節）および傍大動脈リンパ節である。なお，大網のリンパ節などの腹腔内リンパ節も含まれる。

NX　領域リンパ節の評価が不可能
N0　領域リンパ節転移なし
N1　領域リンパ節転移あり
　　N1a　最大径が 10 mm 以下のリンパ節転移
　　N1b　最大径が 10 mm をこえるリンパ節転移

M：遠隔転移

M0　遠隔転移なし
M1　遠隔転移あり
　　M1a　細胞診陽性の胸水
　　M1b　実質転移および腹腔外臓器への転移（鼠径リンパ節と腹腔外リンパ節を含む）

[pTNM 病理学的分類]
　pT, pN カテゴリーは T, N カテゴリーに準ずる。pM1 は遠隔転移が顕微鏡的に確認されるものである。pM0 および pMX というカテゴリーは用いない。
　骨盤リンパ節を郭清した標本を組織学的に検査すると，通常，10 個以上のリンパ節が含まれる。通常の検索個数を満たしていなくても，すべてが転移陰性の場合は pN0 に分

類する。

手術前に他の治療法が行われている例ではy記号を付けて区別する。

再発腫瘍ではr記号を付けて区別する。

c. FIGO分類（2014）とTNM分類（UICC第8版）の対応

FIGO分類（2014）とUICC第8版で用いられているTNM分類の対応を表1に示す。

表1　FIGO分類（2014）とTNM分類（UICC第8版）の対応

FIGO分類	TNM分類		
ⅠA期	T1a	N0	M0
ⅠB期	T1b	N0	M0
ⅠC1期	T1c1	N0	M0
ⅠC2期	T1c2	N0	M0
ⅠC3期	T1c3	N0	M0
ⅡA期	T2a	N0	M0
ⅡB期	T2b	N0	M0
ⅢA1（ⅰ）期	T1-2	N1a	M0
ⅢA1（ⅱ）期	T1-2	N1b	M0
ⅢA2期	T3a	N0/N1	M0
ⅢB期	T3b	N0/N1	M0
ⅢC期	T3c	N0/N1	M0
ⅣA期	T1-3	N0/N1	M1a
ⅣB期	T1-3	N0/N1	M1b

参考文献

1) Prat J ; FIGO Committee on Gynecologic Oncology. Staging classification for cancer of the ovary, fallopian tube, and peritoneum. Int J Gynaecol Obstet 2014; 124: 1-5
2) 卵巣癌・卵管癌・腹膜癌手術進行期分類の改訂および外陰癌，腟癌，子宮肉腫，子宮腺肉腫手術進行期分類の採用について．日産婦誌 2014; 66: 2736-2741
3) UICC. TNM Classification of Malignant Tumours, 8th edition. 8th ed TNM and Ovary, Fallopian tube and primary peritoneal carcinoma FIGO 2014
4) UICC日本委員会TNM委員会訳．TNM悪性腫瘍の分類 第8版 日本語版．金原出版，東京，2017, 178-181
5) International Collaboration on Cancer Reporting. Ovary, Fallopian Tube and Primary Peritoneal Carcinomas
https://www.iccr-cancer.org/datasets/published-datasets/female-reproductive/ovary-ft-pp/

6 組織学的分類

a. はじめに

本規約における組織学的分類は WHO 分類 第5版（2020年）に準拠している。腫瘍様病変も腫瘍との対比・鑑別の重要性から，これまで通りに取り挙げている。コード番号は WHO 分類 第5版と同様に，International Classification of Diseases for Oncology 第3版改訂第2版（ICD-O-3.2）に基づいている。

b. 卵巣腫瘍の臨床病理学的取扱いと国際疾病分類（腫瘍学）
International Classification of Diseases for Oncology（ICD-O）

卵巣腫瘍は治療と予後の観点から，良性腫瘍，境界悪性腫瘍あるいは悪性度不明の腫瘍，悪性腫瘍のいずれかに分類される。

ICD-O は世界保健機関（WHO）が腫瘍を対象として作成した疾病分類で，腫瘍の局在と形態を組み合わせたコードを規定している。現在は第3版 改訂第2版（ICD-O-3.2）が使用されている。形態コードは組織型に対する4桁のコードの後に，1桁の性状コードと異型度・分化度コードが付記される。性状コードとして，良性の場合は「/0」，良性と悪性のいずれであるかが不明・低悪性腫瘍・上皮性では境界悪性腫瘍の場合は「/1」，上皮内癌・非浸潤癌の場合は「/2」，悪性の場合は「/3」が付記される。異型度コードは高分化，中分化，低分化，未分化（退形成）の場合にそれぞれ 1, 2, 3, 4 を付記する。個々の腫瘍の ICD-O コードは以下の「c. 組織学的分類および ICD-O コード」に記載するが，WHO 分類 第5版の正式疾患名と ICD-O コード上の疾患名には一部齟齬がある。

c. 組織学的分類および ICD-O コード

卵巣腫瘍 Tumors of the ovary

漿液性腫瘍 Serous tumors

8441/0	漿液性嚢胞腺腫	Serous cystadenoma NOS
8461/0	漿液性表在性乳頭腫	Serous surface papilloma
9014/0	漿液性腺線維腫	Serous adenofibroma NOS
9014/0	漿液性嚢胞腺線維腫	Serous cystadenofibroma NOS
8442/1	漿液性境界悪性腫瘍	Serous borderline tumor NOS
8460/2	微小乳頭状漿液性境界悪性腫瘍	Serous borderline tumor, micropapillary variant
8460/3	低異型度漿液性癌	Low-grade serous carcinoma
8461/3	高異型度漿液性癌	High-grade serous carcinoma

粘液性腫瘍 Mucinous tumors

- 8470/0　粘液性嚢胞腺腫 Mucinous cystadenoma NOS
- 9015/0　粘液性腺線維腫 Mucinous adenofibroma NOS
- 8472/1　粘液性境界悪性腫瘍 Mucinous borderline tumor
- 8480/3　粘液性癌 Mucinous adenocarcinoma

類内膜腫瘍 Endometrioid tumors

- 8380/0　類内膜嚢胞腺腫 Endometrioid cystadenoma NOS
- 8381/0　類内膜腺線維腫 Endometrioid adenofibroma NOS
- 8380/1　類内膜境界悪性腫瘍 Endometrioid tumor, borderline
- 8380/3　類内膜癌 Endometrioid adenocarcinoma NOS
- 8474/3　漿液粘液性癌 Seromucinous carcinoma

明細胞腫瘍 Clear cell tumors

- 8443/0　明細胞嚢胞腺腫 Clear cell cystadenoma
- 8313/0　明細胞嚢胞腺線維腫 Clear cell cystadenofibroma
- 8313/1　明細胞境界悪性腫瘍 Clear cell borderline tumor
- 8310/3　明細胞癌 Clear cell adenocarcinoma NOS

漿液粘液性腫瘍 Seromucinous tumors

- 8474/0　漿液粘液性嚢胞腺腫 Seromucinous cystadenoma
- 9014/0　漿液粘液性腺線維腫 Seromucinous adenofibroma
- 8474/1　漿液粘液性境界悪性腫瘍 Seromucinous borderline tumor

ブレンナー腫瘍 Brenner tumors

- 9000/0　ブレンナー腫瘍 Brenner tumor NOS
- 9000/1　境界悪性ブレンナー腫瘍 Brenner tumor, borderline malignancy
- 9000/3　悪性ブレンナー腫瘍 Brenner tumor, malignant

その他の癌 Other carcinomas

- 9111/3　中腎様腺癌 Mesonephric-like adenocarcinoma
- 8020/3　未分化癌 Carcinoma, undifferentiated NOS
- 8020/3　脱分化癌 Dedifferentiated carcinoma
- 8980/3　癌肉腫 Carcinosarcoma NOS
- 8323/3　混合癌 Mixed cell adenocarcinoma

間葉系腫瘍 Mesenchymal tumors

- 8931/3　低異型度類内膜間質肉腫 Endometrioid stromal sarcoma, low grade
- 8930/3　高異型度類内膜間質肉腫 Endometrioid stromal sarcoma, high grade
- 8890/0　平滑筋腫 Leiomyoma NOS
- 8890/3　平滑筋肉腫 Leiomyosarcoma NOS
- 8897/1　悪性度不明な平滑筋腫瘍 Smooth muscle tumor of uncertain malignant potential
- 8840/0　粘液腫 Myxoma NOS

混合型上皮性間葉系腫瘍 Mixed epithelial and mesenchymal tumors
8933/3 　　　腺肉腫 Adenosarcoma

性索間質性腫瘍 Sex cord-stromal tumors
＜純粋型間質性腫瘍 Pure stromal tumors＞
8810/0 　　　線維腫 Fibroma NOS
8810/1 　　　　富細胞性線維腫 Cellular fibroma
8600/0 　　　莢膜細胞腫 Thecoma NOS
8601/0 　　　黄体化莢膜細胞腫 Thecoma, luteinized
8602/0 　　　硬化性間質性腫瘍 Sclerosing stromal tumor
8590/0 　　　微小嚢胞間質性腫瘍 Microcystic stromal tumor
8590/0 　　　印環細胞間質性腫瘍 Signet-ring stromal tumor
8650/0 　　　ライディッヒ細胞腫 Leydig cell tumor NOS
8670/0 　　　ステロイド細胞腫瘍 Steroid cell tumor NOS
8670/3 　　　悪性ステロイド細胞腫瘍 Steroid cell tumor, malignant
8810/3 　　　線維肉腫 Fibrosarcoma NOS

＜純粋型性索腫瘍 Pure sex cord tumors＞
8620/3 　　　成人型顆粒膜細胞腫 Adult granulosa cell tumor
8622/1 　　　若年型顆粒膜細胞腫 Granulosa cell tumor, juvenile
8640/1 　　　セルトリ細胞腫 Sertoli cell tumor NOS
8623/1 　　　輪状細管を伴う性索腫瘍 Sex cord tumor with annular tubules

＜混合型性索間質性腫瘍 Mixed sex cord-stromal tumors＞
8631/1 　　　セルトリ・ライディッヒ細胞腫瘍 Sertoli-Leydig cell tumor NOS
8631/0 　　　　高分化型セルトリ・ライディッヒ細胞腫 Sertoli-Leydig cell tumor, well differentiated
8631/1 　　　　中分化型セルトリ・ライディッヒ細胞腫 Sertoli-Leydig cell tumor, moderately differentiated
8631/3 　　　　低分化型セルトリ・ライディッヒ細胞腫 Sertoli-Leydig cell tumor, poorly differentiated
8633/1 　　　　網状型セルトリ・ライディッヒ細胞腫 Sertoli-Leydig cell tumor, retiform
8590/1 　　　分類不能な性索腫瘍 Sex cord tumor NOS
8632/1 　　　ギナンドロブラストーマ Gynandroblastoma

胚細胞腫瘍 Germ cell tumors
9080/0 　　　良性奇形腫 Teratoma, benign
9080/3 　　　未熟奇形腫 Immature teratoma NOS
9060/3 　　　未分化胚細胞腫 Dysgerminoma
9071/3 　　　卵黄嚢腫瘍 Yolk sac tumor NOS
9070/3 　　　胎芽性癌 Embryonal carcinoma NOS
9100/3 　　　絨毛癌 Choriocarcinoma NOS

| 9085/3 | 混合型胚細胞腫瘍 Mixed germ cell tumor |

＜単胚葉性奇形腫および皮様嚢腫に伴う体細胞型腫瘍 Monodermal teratomas and somatic-type tumors arising from a dermoid cyst＞

9090/0	卵巣甲状腺腫 Struma ovarii NOS
9090/3	悪性卵巣甲状腺腫 Struma ovarii, malignant
9091/1	甲状腺腫性カルチノイド Strumal carcinoid
9080/0	単胚葉性嚢胞性奇形腫 Cystic teratoma NOS
9084/3	悪性転化を伴う奇形腫 Teratoma with malignant transformation

＜胚細胞・性索間質性腫瘍 Germ cell-sex cord-stromal tumors＞

9073/1	性腺芽腫 Gonadoblastoma
	Dissecting gonadoblastoma
	Undifferentiated gonadal tissue
8594/1	分類不能な混合型胚細胞・性索間質性腫瘍 Mixed germ cell-sex cord-stromal tumor NOS

その他の腫瘍 Miscellaneous tumors

9110/0	卵巣網腺腫 Adenoma of rete ovarii
9110/3	卵巣網腺癌 Adenocarcinoma of rete ovarii
9110/1	ウォルフ管腫瘍 Wolffian tumor
8452/1	充実性偽乳頭状腫瘍 Solid pseudopapillary tumor
8044/3	高カルシウム血症性小細胞癌 Small cell carcinoma, hypercalcemic type
8960/3	ウィルムス腫瘍 Wilms tumor（腎芽腫 Nephroblastoma）
8041/3	小細胞神経内分泌癌 Small cell neuroendocrine carcinoma

腫瘍様病変 Tumor-like lesions

	卵胞嚢胞 Follicle cyst
	黄体嚢胞 Corpus luteum cyst
	大型孤在性黄体化卵胞嚢胞 Large solitary luteinized follicle cyst
	黄体化過剰反応 Hyperreactio luteinalis
8610/0	妊娠黄体腫 Pregnancy luteoma
	間質過形成および莢膜細胞過形成 Stromal hyperplasia and hyperthecosis
	線維腫症および広汎性浮腫 Fibromatosis and massive edema
	ライディッヒ細胞過形成 Leydig cell hyperplasia
	子宮内膜症性嚢胞 Endometriotic cyst

転移性腫瘍 Metastases to the ovary

卵管腫瘍 Tumors of the fallopian tube

上皮性腫瘍 Epithelial tumors

| 9014/0 | 漿液性腺線維腫 Serous adenofibroma NOS |
| 8442/1 | 漿液性境界悪性腫瘍 Serous borderline tumor NOS |

8461/3	高異型度漿液性癌	High-grade serous carcinoma
8380/3	類内膜癌	Endometrioid adenocarcinoma NOS
8980/3	癌肉腫	Carcinosarcoma NOS

混合型上皮性間葉系腫瘍 Mixed epithelial and mesenchymal tumors

8933/3	腺肉腫	Adenosarcoma

胚細胞腫瘍 Germ cell tumors

9080/0	成熟奇形腫	Mature teratoma NOS
9080/3	未熟奇形腫	Immature teratoma NOS

腫瘍様病変 Tumor-like lesions

- 傍卵管嚢胞 Paratubal cysts
- 卵管過形成 Tubal hyperplasia
- 卵管・卵巣膿瘍 Tubo-ovarian abscess
- 結節性峡部卵管炎 Salpingitis isthmica nodosa
- 化生性乳頭状病変 Metaplastic papillary lesion
- 卵管着床部結節 Placental site nodule
- 粘液性化生 Mucinous metaplasia
- 卵管内膜症 Endosalpingiosis

腹膜腫瘍・広間膜腫瘍 Tumors of the peritoneum and the broad ligament

中皮腫瘍 Mesothelial tumors

9054/0	アデノマトイド腫瘍	Adenomatoid tumor NOS
9052/0	高分化型乳頭状中皮性腫瘍	Well-differentiated papillary mesothelioma, benign
9050/3	中皮腫	Mesothelioma, malignant
9052/3	上皮型悪性中皮腫	Epithelioid mesothelioma, malignant
9051/3	肉腫型中皮腫	Sarcomatoid mesothelioma
9053/3	二相型悪性中皮腫	Mesothelioma, biphasic, malignant

Müller 管型上皮性腫瘍 Epithelial tumors (of Müllerian type)

8442/1	漿液性境界悪性腫瘍	Serous borderline tumor NOS
8460/3	低異型度漿液性癌	Low-grade serous carcinoma
8461/3	高異型度漿液性癌	High-grade serous carcinoma

腹膜に特有な間葉系腫瘍 Mesenchymal tumors specific to peritoneum

8890/1	播種性腹膜平滑筋腫症	Leiomyomatosis, peritonealis disseminata
8822/1	腹部線維腫症	Abdominal fibromatosis
8817/0	石灰化線維性腫瘍	Calcifying fibrous tumor
8936/3	消化管間質腫瘍	Gastrointestinal stromal tumor
8815/1	孤立性線維性腫瘍	Solitary fibrous tumor NOS
8815/3	悪性孤立性線維性腫瘍	Solitary fibrous tumor, malignant
8931/3	低異型度類内膜間質肉腫	Endometrioid stromal sarcoma, low grade

8930/3	高異型度類内膜間質肉腫	Endometrioid stromal sarcoma, high grade
8806/3	線維形成性小型円形細胞腫瘍	Desmoplastic small round cell tumor

腫瘍様病変 Tumor-like lesions

	中皮過形成	Mesothelial hyperplasia
9055/0	腹膜封入嚢胞	Peritoneal inclusion cysts
	移行上皮化生	Transitional cell metaplasia
	子宮内膜症	Endometriosis
	卵管内膜症	Endosalpingiosis
	組織球結節	Histiocytic nodule
	異所性脱落膜	Ectopic decidua
	脾症	Splenosis

転移性腫瘍 Metastases to the peritoneum

	癌および肉腫	Carcinomas and sarcomas
8480/6	腹膜偽粘液腫	Pseudomyxoma peritonei
	膠腫症	Gliomatosis

広間膜および他の子宮靭帯の腫瘍 Tumors of the broad ligament and other uterine ligaments

間葉系腫瘍および混合型腫瘍 Mesenchymal and mixed tumors

8890/0	平滑筋腫	Leiomyoma NOS
8932/0	腺筋腫	Adenomyoma NOS
8933/3	腺肉腫	Adenosarcoma
8890/3	平滑筋肉腫	Leiomyosarcoma NOS

その他の腫瘍 Miscellaneous tumors

9110/1	ウォルフ管腫瘍	Wolffian tumor
8450/0	乳頭状嚢胞腺腫	Papillary cystadenoma NOS
9391/3	上衣腫	Ependymoma NOS

腫瘍様病変 Tumor-like lesions

	副腎皮質遺残	Adrenocortical remnants

d. 組織学的分類の説明
1 卵巣腫瘍 Ovarian tumors
❶ 上皮性腫瘍 Epithelial tumors
上皮性腫瘍に共通する所見
【良性・境界悪性・悪性】

　上皮性腫瘍は卵巣腫瘍の中で最も多く，その生物学的態度，病理学的特性，臨床像は組織型に大きく依存している。すなわち，漿液性，粘液性，類内膜，明細胞といった腫瘍がそれぞれに固有の生物学的性格を有している。また，卵巣上皮性腫瘍では，転帰や予後に相関した3段階の分類，「良性・境界悪性・悪性」が確立されている。

　良性腫瘍は，異型を欠くか軽度の異型を示す細胞が増殖する腫瘍であり，ブレンナー腫瘍以外では，腫瘍細胞の重層化がほとんど認められない。

　境界悪性腫瘍は，「上皮の旺盛な増殖を示すものの微小浸潤をこえる間質浸潤を伴わず，長い経過を経て再発することはあっても腫瘍死に至ることはほとんどない腫瘍」と定義され，卵巣上皮性腫瘍において，名称，概念，診断基準が明瞭に位置づけられている疾患概念である。しばしば境界悪性腫瘍成分の周囲に腺腫成分を認めるが，境界悪性腫瘍成分が腫瘍全体の10％をこえる場合は境界悪性腫瘍，10％未満の場合は腺腫（一部に上皮の増殖を伴う腺腫 adenoma with focal epithelial proliferation）として扱う。微小浸潤の範囲であれば，「微小浸潤を伴う境界悪性腫瘍」として境界悪性腫瘍に分類される。

　悪性腫瘍（癌）とは，微小浸潤をこえる浸潤すなわち連続して5 mm以上の浸潤を示す腫瘍を指す。

【微小浸潤】

　微小浸潤 microinvasion とは，浸潤巣の大きさが5 mmに満たないものを指す。浸潤巣の個数は問わず，それらの総計による評価はしない。なお，婦人科領域以外の腫瘍では，"微小"ではなく"微少"minimal が用いられている。

【浸潤様式】

　浸潤様式には，癒合／圧排性 confluent/expansile と侵入性 infiltrative の2つがあり，両者が共存する場合もある。

　癒合／圧排性浸潤は，癌細胞が複雑な管状ないし乳頭状構造を形成して増殖し，腫瘍胞巣間に間質の介在をほとんど伴わない。腫瘍と周囲との境界は明瞭かつ平滑である。その範囲が小さい場合には上皮内癌を伴う境界悪性腫瘍との判別が困難なことがある。本規約ではWHO分類 第5版（2020年）の定義に従って，5 mm以上の広がりを示す場合に，癒合／圧排性浸潤を示す癌（悪性腫瘍）とする。

　侵入性浸潤は，腫瘍細胞が，腺管や小型胞巣形成性，あるいは孤細胞性に方向性を失って間質内に増殖し，周囲との境界が不明瞭な浸潤形式である。多くは間質の線維形成性反応を伴う。

A. 漿液性腫瘍 Serous tumors

1. 良性 Benign
   a. 漿液性囊胞腺腫 Serous cystadenoma（図譜 1, 2）
   b. 漿液性腺線維腫 Serous adenofibroma
   c. 漿液性表在性乳頭腫 Serous surface papilloma

   概　要

   　卵管上皮への分化を示す腫瘍細胞で構成される良性腫瘍である。無症候性の場合が多いが，圧迫や捻転による症状を呈することがある。

   病理所見

   　多くは囊胞腺腫で，肉眼的に単房性あるいは少房性囊胞性腫瘤である。
   　組織学的に，腫瘍細胞が概ね単層に配列し，囊胞あるいは腺管を形成し増殖する。腫瘍細胞は立方状ないし円柱上皮で，しばしば線毛を有する細胞が混在し，異型はほとんど認めないか軽度である。囊胞内腔に隆起する乳頭状構造を形成することがあるが，その場合，乳頭状構造の間質は線維性で広く，肉眼的には囊胞内腔に白色の顆粒状隆起として認められる。腺線維腫は，腫瘍腺管と広い線維性間質で構成される。表在性乳頭腫は，卵巣表面に，単層に配列する腫瘍細胞が豊富な線維性間質を伴う乳頭状病変を形成する。

2. 境界悪性 Borderline
   a. 漿液性境界悪性腫瘍 Serous borderline tumor（図譜 3〜6）
   b. 微小乳頭状/篩状漿液性境界悪性腫瘍 Serous borderline tumor, micropapillary/cribriform（図譜 7〜10）

   概　要

   　卵管上皮への分化を示す腫瘍細胞で構成される境界悪性腫瘍である。我が国の境界悪性腫瘍では，粘液性腫瘍に次いで頻度が高い。約 1/3 の症例は両側性である。しばしば *KRAS* もしくは *BRAF* の変異を認める。

   病理所見

   　肉眼的に，単房性あるいは少房性の囊胞と囊胞内に乳頭状成分を有するが，卵巣表層から腹腔側へ外向性に発育する成分を有することがある。1/3 の症例は両側性で，微小乳頭状/篩状でその頻度が高い。
   　組織学的に，腫瘍細胞が階層性乳頭状構造（枝分かれをするたびに間質が狭細化する乳頭状構造）を形成して増殖し，重層化や内腔への分離増殖を呈する。腫瘍細胞は円柱状で，好酸性細胞質を有し，線毛を有する細胞が混在することが多い。核異型は軽度ないし中等度で，核分裂は少ない。しばしば砂粒小体がみられる。間質の線維性増殖を伴うこともある。微小浸潤巣では，非浸潤成分と類似する腫瘍細胞が，小型胞巣や小型乳頭状構造を形成して増殖し，後者では間質との間に空隙を有する。豊富な好酸性細胞質を有する腫瘍細胞が孤細胞性に浸潤することもあるが，間質の線維形成性反応はみられない。腫瘍細胞のリンパ管侵襲像を認めることもある。浸潤巣が 5 mm 未満で，腫瘍細胞が低異型度漿液性癌に相

当する異型を呈する場合は，微小浸潤性低異型度漿液性癌 microinvasive low-grade serous carcinoma とよび，この場合，十分なサンプリングを行い，微小浸潤をこえる浸潤成分の有無を確認する必要がある．

　漿液性境界悪性腫瘍のうち，高さが横径の5倍以上の突起を有する乳頭状構造ないし篩状構造が5mm以上の領域に連続して広がるものを微小乳頭状/篩状漿液性境界悪性腫瘍 serous borderline tumor, micropapillary/cribriform とよぶ．突起の中心には線維性軸を欠く．構成する細胞は，核・細胞質（N/C）比が高いものの小型で，核は均一で小型核小体を有する．高度の異型を呈することはなく，核分裂は少ない．

腹膜インプラント Peritoneal implant（図譜11〜15）

　卵巣漿液性境界悪性腫瘍では，腹膜や大網など卵巣外にも同様の腫瘍細胞を認めることがある．そのうち，腫瘍細胞が既存の腹膜や脂肪組織の構造を破壊することなく，これらに接着または脂肪織小葉間に沿って増殖するものはインプラント implant とよばれる（従来の非浸潤性インプラント）．インプラントには上皮成分を主体とする上皮性インプラント epithelial implant と間質の線維形成性反応を伴う線維形成性インプラント desmoplastic implant がある．卵巣表層ないし嚢胞壁内に，間質の線維形成を伴って腫瘍細胞が孤細胞性ないし胞巣形成性に増殖するものは"autoimplant"とよばれる．

　一方，既存の構造を破壊して浸潤性に増殖する卵巣外病変（従来の浸潤性インプラント）は，低異型度漿液性癌 low-grade serous carcinoma とみなされる．卵巣の腫瘍が通常の漿液性境界悪性腫瘍の組織像を呈している場合には，追加切り出しを行って微小乳頭状/篩状漿液性境界悪性腫瘍や低異型度漿液性癌が併存していないかを再検討することが勧められる．これらの病変が確認できなかった場合には，卵巣外病変が通常の漿液性境界悪性腫瘍から転化したものであると解釈する．

　卵巣外病変が非浸潤性か浸潤性かを判断できない場合はその旨を記載し，「判定不能 indeterminate type」とする．

リンパ節病変

　漿液性境界悪性腫瘍では，リンパ節内にも同様の腫瘍がみられることがある．この場合はpN1として扱うが，転帰や予後に影響を与えない．診断にあたっては，子宮内膜症や卵管内膜症 endosalpingiosis との鑑別に留意する．

3. 悪性 Malignant

　形態，生物学的振る舞い，遺伝子異常，前駆病変，組織発生の異なる2つの腫瘍がある．

a. 低異型度漿液性癌 Low-grade serous carcinoma（図譜16, 17）

概要

　卵管上皮への分化を示す低異型度の腫瘍細胞で構成される腺癌である．漿液性癌全体の数％程度と稀である．広い年齢に発生するが，好発年齢は高異型度漿液

性癌より10歳ほど若い（中央値43歳）。漿液性境界悪性腫瘍の既往を有することがある。無症状で偶発的に発見されるものもある。しばしばⅢ～Ⅳ期で発見される。緩徐に進行し，予後は比較的良好であるものの，化学療法への反応性は不良である。*KRAS*, *NRAS*, *BRAF*, *USP9X*, *EIF1AX* 変異が知られている。

病理所見

肉眼的に，乳頭状成分を有する囊胞性腫瘍ないし充実性腫瘍で，ときに石灰化が確認できる。両側性が珍しくない。

腫瘍細胞が腺管，乳頭状構造，間質との間に裂隙を伴う小型乳頭状構造，充実性胞巣を形成して浸潤性に増殖する。腫瘍細胞は，N/C比が高いものの小型で，核異型は軽度から中等度で比較的均一であり，高度の異型を呈することはない。核分裂は，高倍率10視野（2.4 mm^2）あたり12個以下とされるが，通常は2～3個である。壊死はほとんどみられない。砂粒小体や石灰化を伴う頻度が高い。前駆病変は漿液性境界悪性腫瘍で，これがしばしば併存する。

免疫組織化学的に，PAX8，WT-1，ER陽性で，p53の異常発現やp16^{INK4a}のびまん性陽性像はみられない。

b. 高異型度漿液性癌 High-grade serous carcinoma（図譜18～22）

概　要

卵管上皮への分化を示す高異型度の腫瘍細胞で構成される腺癌である。漿液性癌の95％以上を占め，卵巣にみられる悪性腫瘍で最も頻度が高い。好発年齢は60代前半である。Ⅲ期以上で発見されることが圧倒的に多く，しばしば，嘔気や便秘などの消化器症状，頻尿，背部痛や腹水貯留に伴う腹部膨満などの症状を呈する。ほとんどの症例に *TP53* の機能喪失型変異を認める。また，複雑なコピー数異常を伴うことが多い。*BRCA1*/*BRCA2* の生殖細胞系列変異（遺伝性乳癌卵巣癌症候群）および体細胞変異に代表される相同組換え修復異常を示す症例ではプラチナ製剤およびPARP（poly ADP-ribose polymerase）阻害薬の感受性が高い。

研究結果の蓄積によって，卵巣に認める高異型度漿液性癌の多くが卵管を起源として卵巣や腹膜へ転移・進展したものであり，前駆病変は漿液性卵管上皮内癌 serous tubal intraepithelial carcinoma（STIC）であると考えられるに至った。また，高異型度漿液性癌では，原発巣が微小でありながら転移先の卵巣や腹膜に大型の腫瘍を形成することが稀ではない。STIC（**60頁**），卵管の切り出し方法（**8～9頁**），高異型度漿液性癌の原発巣（**5頁**）も参照のこと。

病理所見

肉眼的に，乳頭状成分や充実性成分を有する囊胞性腫瘍ないし充実性腫瘍で，両側性が珍しくない。腫瘍の大きさは様々で，正常卵巣の外観に近いものや卵巣表面に径1 cm未満の小腫瘍を認めるのみで骨盤内に多数の播種病巣を伴う場合もある。

組織学的に，腫瘍細胞が，乳頭状，繊細な樹枝状，微小乳頭状構造，スリット

状間隙を伴う胞巣，充実性胞巣を形成して浸潤性に増殖する．腫瘍細胞は N/C 比が高く，核の大小不同（径が 3 倍以上の核が混在する）や核形不整を示し，多核細胞もみられる．核分裂は高倍率 10 視野（2.4 mm^2）あたり 12 個をこえ，異型核分裂もみられる．部分的に，腫瘍細胞の紡錘形化，細胞質の淡明化，細胞質内粘液を認めることがある．高頻度に壊死がみられる．稀に，間質浸潤が認識できず漿液性境界悪性に類似した構造を呈することがあるが，腫瘍細胞の異型が高度な場合は高異型度漿液癌と診断する．相同組換え修復異常を有する腫瘍ではしばしば，SET（solid, endometrial-like, transitional）パターンとよばれる充実性胞巣，偽類内膜ないし移行上皮様構造，巨大な腫瘍細胞，地図状壊死，高度のリンパ球浸潤を呈する．

　免疫組織化学的に，ほとんどの症例が p53 の異常発現を示し，PAX8，WT-1，CA125 は陽性，ER は半数以上の症例で陽性である．一方，Napsin A や HNF-1β は陰性で ARID1A の発現は保持される．

B. 粘液性腫瘍 Mucinous tumors
1. 良性 Benign
　a. 粘液性囊胞腺腫 Mucinous cystadenoma （図譜 23〜25）
　b. 粘液性腺線維腫 Mucinous adenofibroma

概要
　細胞質内粘液を有する胃・腸型ないしミュラー管型上皮細胞で構成される良性腫瘍である．粘液性腫瘍の約 80％を占め，広い年齢に発生する．腹痛や腫瘤感を自覚することがある．

　粘液性腫瘍は，良性・境界悪性・悪性にかかわらず，成熟奇形腫あるいはブレンナー腫瘍を合併することがある，壁在結節を有することがある（粘液性境界悪性腫瘍を参照のこと），*KRAS* 変異の頻度が高い，上皮性腫瘍の中で機能性間質を有する頻度が高い，という特徴がある．機能性間質を有する卵巣腫瘍とは，間質細胞の黄体化とエストロゲンないしアンドロゲン産生によって内分泌学的徴候を呈する性索間質性腫瘍以外の卵巣腫瘍を指し，他臓器から卵巣に転移した腫瘍でも起こりうる．

病理所見
　多くは片側性である．肉眼的に多房性囊胞性腫瘤のことが多く，小型のものから径 30 cm をこえる巨大なものまである．

　豊富な細胞質内粘液を有する高円柱状腫瘍細胞が，囊胞ないし管腔を形成し増殖する．複雑な構造はみられない．腫瘍細胞は，胃腺窩上皮型，幽門腺型，杯細胞型，パネート細胞型細胞や神経内分泌細胞を含む胃・腸型上皮細胞，あるいは子宮頸管腺に類似するミュラー管型上皮細胞のいずれの場合もあるが，基底膜に対して垂直かつ単層に配列し，核異型はほとんどみられないか軽度である．

2. 境界悪性 Borderline

a. 粘液性境界悪性腫瘍 Mucinous borderline tumor（図譜 26～28）

概　要

　細胞質内粘液を有する胃・腸型上皮細胞で構成される境界悪性腫瘍である。我が国では卵巣境界悪性腫瘍の中で最も多く，小児を含む広い年齢に発生する。腹痛や腫瘤感を自覚することが多い。予後は良好であるが，妊孕性温存のために腫瘍のみを切除した場合や癒着例では再発することがある。微小浸潤を伴う場合の再発率は 5％で，腫瘍死は 5％未満とされる。微小浸潤癌を伴う例の腫瘍死が報告されているが，いずれも症例の蓄積が十分とは言えない。

　多くは粘液性腺腫から発生するが，成熟奇形腫あるいはブレンナー腫瘍から発生するものもある。奇形腫由来のものは，卵巣外に広がり腹膜偽粘液腫をきたすことがある（奇形腫から発生する体細胞型腫瘍 52 頁，転移性卵巣腫瘍 59 頁，腹膜偽粘液腫 65 頁）。

病理所見

　片側性の大型（平均径 20 cm）多房性嚢胞性腫瘤で，粘稠度の高い内容物を容れる。嚢胞壁の肥厚や充実性成分を伴うことがある。

　細胞質内粘液を有する胃・腸型上皮細胞，すなわち，胃腺窩上皮型，幽門腺型，杯細胞型，パネート細胞型細胞が複雑な腺管ないし乳頭状構造を形成し，多層化や内腔への分離増殖を示す。ときに神経内分泌細胞が混在する。腫瘍細胞の異型は軽度から中等度で，核分裂も散見される。間質浸潤を欠くものの高度の細胞異型を示す腫瘍細胞を認める場合は，「上皮内癌を伴う粘液性境界悪性腫瘍 mucinous borderline tumor with intraepithelial carcinoma」とよぶ。微小浸潤巣の腫瘍細胞が高度の異型を示す場合は，微小浸潤癌を伴う境界悪性腫瘍 borderline tumor with microinvasive carcinoma とする。

3. 悪性 Malignant

a. 粘液性癌 Mucinous carcinoma（図譜 29～31）

概　要

　細胞質内粘液を有する胃・腸型上皮細胞で構成される腺癌である。我が国では，卵巣上皮性悪性腫瘍の 10％未満である。50 代に好発し，その他の臨床的特徴は粘液性境界悪性腫瘍に類似する。多くは卵巣に限局し，他の上皮性悪性腫瘍と比較して進行例の占める割合が低い。

　多くは粘液性境界悪性腫瘍から発生するが，成熟奇形腫ないしブレンナー腫瘍から発生するものもある。半数以上の症例に *KRAS* 変異や *CDKN2A* の欠失を認める。また，*TP53* 変異の頻度が粘液性境界悪性腫瘍よりもはるかに高い。

病理所見

　片側性の大型嚢胞性腫瘤を形成し，しばしば充実性ないし乳頭状成分を認める。

　細胞質内粘液を有する胃・腸型高円柱上皮細胞が，管状，乳頭状構造，充実性胞巣を形成して浸潤性に増殖する。腫瘍細胞は高度の異型と極性の乱れを示し，

核分裂の頻度も高い。細胞内粘液が目立たないものもある。浸潤様式には，癒合/圧排性浸潤 confluent/expansile invasive pattern と侵入性浸潤 infiltrative invasive pattern があり，圧倒的に前者の頻度が高いが，両者が混在する場合もある。癒合/圧排性浸潤では腫瘍腺管の癒合と密在によって迷路様の構造が形成される。侵入性浸潤の場合，特に両側性の場合は，他臓器を原発とする転移性癌を慎重に除外する必要がある。癌の周囲にはしばしば粘液性境界悪性腫瘍ないし粘液性腺腫成分を認める。ただし，この所見は必ずしも原発性腫瘍の確証とはならず，転移性腫瘍でも，良性や境界悪性腫瘍に類似した成分がみられることがある。

　免疫組織化学的に，CK7 はびまん性陽性で，CK20, CEA, CDX2 は症例により異なる。CA19-9 がびまん性陽性を示すことが少なくない。PAX8 は陰性ないし巣状陽性にとどまることがある。SATB2 は大腸および虫垂腫瘍の卵巣転移の多くで陽性，通常卵巣原発粘液性癌では陰性であるが，奇形腫由来の粘液性腫瘍でしばしば陽性を示す。

壁在結節を伴う粘液性腫瘍 Mucinous tumor with mural nodule （図譜 32〜34）

　粘液性腫瘍（良性，境界悪性，悪性を問わない）の囊胞壁に形成される，単発性または多発性の結節性病変である。組織学的に，非腫瘍性の肉腫様 sarcoma-like, 退形成癌 anaplastic carcinoma, 肉腫 sarcoma があり，稀にこれらが混在する。肉腫様結節は，線維芽細胞，組織球（単核ないし多核），炎症細胞からなり，核分裂を伴うことがある。退形成癌は，rhabdoid cell, 紡錘形細胞，多形性の目立つ細胞のびまん性増殖よりなる。肉腫は未分化肉腫のことが多いが，横紋筋肉腫や平滑筋肉腫の報告もある。退形成癌でもⅠA期であれば予後良好との報告があるものの，症例数の蓄積が十分とは言えない。

C. 類内膜腫瘍 Endometrioid tumors
1. 良性 Benign
   a. 類内膜囊胞腺腫 Endometrioid cystadenoma
   b. 類内膜腺線維腫 Endometrioid adenofibroma （図譜 35）

   概　要

　　子宮内膜腺への分化を示す腫瘍細胞で構成される良性腫瘍である。囊胞腺腫，腺線維腫ともに稀である。

   病理所見

　　肉眼的に，類内膜囊胞腺腫は単房性囊胞，類内膜腺線維腫は白色線維性硬の充実性腫瘤であるが，小型囊胞を伴うことや子宮内膜症性囊胞の壁に結節を形成することがある。

　　組織学的に，類内膜囊胞腺腫は，単層に配列する異型を示さない内膜腺類似の円柱上皮に被覆された囊胞を形成する。上皮下に子宮内膜間質を認めない。類内膜腺線維腫は，異型を示さない内膜腺類似腺管と広い線維性間質よりなる。いず

れの腫瘍も扁平上皮への分化を示すことがあり，しばしば周囲に子宮内膜症性囊胞を伴う．

2. 境界悪性 Borderline

a. 類内膜境界悪性腫瘍 Endometrioid borderline tumor（図譜 36〜38）

概 要

子宮内膜腺への分化を示す腫瘍細胞で構成される境界悪性腫瘍である．50歳前後に好発する．類内膜腺線維腫や子宮内膜症と関連して発生することが多い．予後は良好である．しばしば子宮内膜の増殖症や類内膜癌を合併する．

病理所見

多くは片側性で，肉眼的に充実性の腺線維腫型と，囊胞と囊胞内の隆起性成分を有す囊胞内型があり，前者の頻度が高い．

組織学的に，腺線維腫型では，線維性間質を伴って内膜腺類似の腫瘍腺管が密に増殖し，子宮内膜異型増殖症/類内膜上皮内腫瘍 atypical endometrial hyperplasia/endometrioid intraepithelial neoplasia（EIN）に類似する．囊胞内型では，腫瘍細胞が囊胞内腔に乳頭状構造を呈して増殖するが，複雑な乳頭状構造を形成することはない．腫瘍細胞は円柱状で細胞質は好酸性であり，異型は軽度から中等度で核分裂は少ない．微小浸潤には癒合/圧排性浸潤，および侵入性浸潤がある．扁平上皮への分化を示すことが多いが，扁平上皮成分のみが癒合性に 5 mm をこえて広がる像のみでは癌とは診断しない．

3. 悪性 Malignant

a. 類内膜癌 Endometrioid carcinoma（図譜 39〜41）

概 要

子宮内膜腺への分化を示す腫瘍細胞で構成される腺癌である．50代後半に好発し，I期で診断されるものが大多数を占める．ホルモン療法の既往および乳癌の家族歴（母や姉妹）はリスク因子として知られている．一方，早発閉経，卵管結紮，妊娠の既往はリスク軽減因子である．Lynch 症候群に伴って発生することがあるが，DNA ミスマッチ修復異常の頻度は子宮内膜の類内膜癌より低い．多くが子宮内膜症から発生するが，類内膜腺腫・腺線維腫ないし類内膜境界悪性腫瘍から発生するものもある．CTNNB1, PIK3CA, KRAS, ARID1A 変異の頻度が高い．

子宮体部類内膜癌と併存する場合，独立して発生したものか転移かの判断が難しいことがあるが，子宮内膜における増殖症の合併，卵巣における子宮内膜症性囊胞や良性・境界悪性類内膜腫瘍の合併は，それぞれの臓器を原発と判断する拠り所となる．なお，①両者が低異型度（G1, G2）である，②腫瘍が卵巣および子宮体部に限局する，③子宮体癌の浸潤が体部筋層 1/2 に限局する，④いずれにおいても高度のリンパ管侵襲像を認めない，の要素を満たす場合は予後が良好である．

病理所見

多くは片側性である．肉眼的に，充実性腫瘍ないし乳頭状成分を伴う囊胞性腫

瘤で，しばしば囊胞内に出血や壊死を認める。子宮内膜症性囊胞を伴い，チョコレート様の陳旧性内容あるいは新鮮な血性内容を容れた囊胞内にポリープ状隆起性腫瘤を形成する。

　組織学的に，子宮内膜の類内膜癌に類似し，高円柱状の腫瘍細胞が癒合管状，乳頭状/絨毛状構造を形成して浸潤性に増殖する。侵入性浸潤は稀である。種々の程度に粘液性分化や扁平上皮分化を示す。腫瘍細胞が，紡錘形化，分泌期子宮内膜腺様変化（核下・核上空胞），細胞質の好酸性変化を示す場合や線毛を有することがある。子宮内膜の類内膜癌と同様に組織学的異型度（Grade）分類を行う（5～6頁）。かつて漿液粘液性癌とよばれていたものは，粘液性分化が目立つ類内膜癌の亜型として位置づけられた。これは，形態，免疫組織化学，分子病理学的に類内膜癌と共通する性質を有するためである。腫瘍細胞が索状や小型管状構造を形成し，セルトリ細胞腫，セルトリ・ライディッヒ細胞腫，成人型顆粒膜細胞腫の形態を模倣することがあり，その場合は「endometrioid carcinoma resembling sex cord-stromal tumor」または「sertoli-form endometrioid carcinoma」ともよばれる。高異型度類内膜癌は高異型度漿液性癌との鑑別が困難なことがある。腹膜にケラチン肉芽腫 keratin granuloma を認める場合，同成分内に腫瘍細胞を確認できなければ腹膜への進展とはみなさない。

　免疫組織化学的に，多くは ER, progesterone receptor（PgR），PAX8 陽性，WT-1 陰性で，p53 の異常発現は認めない。ただし，WT-1 陽性例もあり，特に高異型度類内膜癌では WT-1 陽性，p53 の異常発現がみられる。明細胞癌との鑑別には Napsin A，ER，PgR が有用である。類内膜癌は EMA 陽性，inhibin-α 陰性である点が性索間質性腫瘍との鑑別に有用である。ただし，類内膜癌の中にも，PAX8 陰性例や，SATB2 や CDX2 陽性例がある。

D. 明細胞腫瘍 Clear cell tumors
1. 良性 Benign
　a. 明細胞囊胞腺腫 Clear cell cystadenoma
　b. 明細胞腺線維腫 Clear cell adenofibroma

　概　要
　　淡明ないし好酸性細胞質を有する上皮細胞が腺管を形成して増殖する，極めて稀な良性腫瘍である。

　病理所見
　　ほとんどが片側性である。腺線維腫が多く，割面像は明細胞境界悪性腫瘍と類似する。明細胞囊胞腺腫は子宮内膜症を伴う。

　　組織学的に，腫瘍細胞が，単層性に配列する大小の腺管ないし囊胞を形成して増殖する。腫瘍細胞は低円柱状ないし扁平で，細胞質は淡明ないし好酸性であり，核異型は乏しく核分裂を認めない。腺線維腫では間質の線維性増殖を伴い，腺管密度が低い。

2. 境界悪性 Borderline

a. 明細胞境界悪性腫瘍 Clear cell borderline tumor

概　要

　淡明ないし好酸性細胞質を有する上皮細胞と線維性間質の増殖で構成される境界悪性腫瘍である。その頻度は極めて稀であり，ほとんどが周囲に癌を伴っていることから，十分な切り出しを行って浸潤癌成分がないことを確認する必要がある。

病理所見

　片側性で，腺線維腫型が多く，割面は充実性腫瘤で微小な囊胞を伴う。

　組織学的に，腫瘍細胞が線維性間質内に大小の腺管を形成して増殖し，間質浸潤を欠く。腫瘍細胞は単層に配列するが，重層化する場合も数層程度である。乳頭状構造，管状囊胞状構造は認められない。腫瘍細胞は低円柱上皮または hobnail 状で，細胞質は淡明ないし好酸性である。核異型は軽度ないし中等度で，核分裂は少ない。背景に良性成分がみられることがある。しばしば子宮内膜症を伴う。

3. 悪性 Malignant

a. 明細胞癌 Clear cell carcinoma （図譜 42〜46）

概　要

　淡明ないし好酸性細胞質を有する上皮細胞ないしホブネイル（鋲釘）細胞 hobnail cell で構成される腺癌である。我が国では卵巣悪性腫瘍の 20％以上を占める。半数以上がⅠ期で診断される。Lynch 症候群との関連が知られている。腫瘍随伴症候群として高カルシウム血症や血栓症を伴うことがある。約半数の症例に *ARID1A* の機能喪失型変異を認める。また，*PIK3CA* 変異の頻度も高い。

病理所見

　多くは片側性である。肉眼的に，囊胞内腔に隆起する結節ないし乳頭状成分を有する例が多いが，全体が充実性ないし囊胞性のものもある。しばしば，囊胞壁に子宮内膜症を思わせる黄色調ないし褐色調斑状病変や褐色調内容液を認める。

　組織学的に，腫瘍細胞は，多稜形ないし円柱状で豊富で淡明な細胞質と明瞭な細胞境界を有するもの，好酸性細胞質を有するもの，細胞質が乏しく核が突出するホブネイル（鋲釘）細胞 hobnail cell，扁平な細胞があり，これらが，管状囊胞状，微小囊胞状，囊胞状，乳頭状，充実性胞巣を形成し，様々な割合で混在して浸潤性に増殖する。腫瘍細胞は通常単層に配列し，重層化は目立たない。淡明な細胞質にはグリコーゲンが貯留し，細胞質内粘液を有することは稀である。核は不整形で明瞭な核小体を有するが，多形性を示すことは稀で，核分裂は比較的少ない。硝子小体や管腔内の好酸性分泌物を認めることがある。間質には，しばしば硝子化ないし基底膜様物質の沈着を認める。多くは背景に子宮内膜症を合併し，境界悪性腫瘍成分がみられることもある。

　免疫組織化学的に，HNF-1β および Napsin A 陽性で，ARID1A の発現が消失することが多い。WT-1, ER, PgR は陰性である。

E. 漿液粘液性腫瘍 Seromucinous tumors
1. 良性 Benign
a. 漿液粘液性嚢胞腺腫 Seromucinous cystadenoma
b. 漿液粘液性腺線維腫 Seromucinous adenofibroma

> 概　要

　複数種類のミュラー管型上皮細胞の混合で構成される稀な良性腫瘍である。組織発生的に子宮内膜症との関連が示唆されている。

> 病理所見

　肉眼的に，腺腫は単房性ないし少房性嚢胞性腫瘤を，腺線維腫は充実性腫瘤または内膜症性嚢胞壁に結節を形成する。

　組織学的に，線毛を有する卵管型上皮，子宮頸管腺型上皮，内膜腺型上皮およびそれに付随する扁平上皮，淡明な細胞のうち，複数種類の細胞が様々な割合で混合あるいは移行して，腺管や嚢胞を形成して増殖する。胃・腸型上皮細胞を認めることはない。腫瘍細胞は単層に配列し，異型を欠くか軽度の異型を示す。腺線維腫では，間質の線維性増殖を伴う。

2. 境界悪性 Borderline
a. 漿液粘液性境界悪性腫瘍 Seromucinous borderline tumor （図譜47～49）

> 概　要

　複数種類のミュラー管型上皮細胞が混合する境界悪性腫瘍である。30代後半に好発する。高頻度に子宮内膜症性嚢胞を伴い，予後は良好である。かつて粘液性境界悪性腫瘍内頸部様 endocervical-like mucinous borderline tumor や Müllerian mucinous borderline tumor とよばれていたが，これらの名称は推奨されない。半数以上の症例に *KRAS* 変異を，一部の症例では *ARID1A* 変異を認める。

> 病理所見

　肉眼的に，単房性ないし少房性嚢胞性腫瘤で（平均径9 cm），嚢胞内に乳頭状成分を有する。ときに卵巣表面から外向性に乳頭状に増殖することもある。約30％が両側性である。

　組織学的に，腫瘍細胞が階層性を有する乳頭状構造（枝分かれをするたびに間質が狭細化する乳頭状構造）を形成して増殖し，漿液性境界悪性腫瘍に類似した構築を呈する。間質は浮腫性ないし線維性で，しばしば好中球浸潤がみられる。腫瘍細胞は，線毛を有する卵管型上皮，細胞質内粘液を有する子宮頸管腺型上皮，内膜腺型上皮およびそれに付随する扁平上皮，好酸性細胞質ないし淡明な細胞質を有する上皮，hobnail 型細胞のうち複数の種類の細胞が様々な割合で混合し，重層化や内腔への分離増殖を呈する。胃・腸型上皮細胞を認めることはない。細胞異型は軽度ないし中等度で，核分裂は少ない。漿液性境界悪性腫瘍でみられる「微小乳頭状構造」を示すものもある。高頻度に子宮内膜症を合併し，類内膜腫瘍や明細胞腫瘍との共通性を示す。稀に卵巣外にも病変を認め，その場合の取扱いは漿液性境界悪性腫瘍に準じる（**24頁**）。

免疫組織化学的に，PAX8，ER，PgR 陽性で，WT-1 は陰性である．

F. ブレンナー腫瘍 Brenner tumors
1. 良性 Benign
a. ブレンナー腫瘍 Brenner tumor（図譜 50, 51）
概 要

尿路（移行）上皮型細胞と豊富な線維性間質で構成される良性腫瘍である．偶発的に発見されるものが多いが，機能性間質を伴い内分泌学的徴候をきたすことがある．Walthard nest 由来説がある．

病理所見

片側性の線維性硬で境界明瞭な白色の充実性腫瘍で，割面に微小囊胞を認めることがある．多くは径 2 cm 以下で，顕微鏡的腫瘍も少なくない．

組織学的に，線維性間質内に，尿路（移行）上皮型細胞が大小の充実性胞巣を形成し増殖する．腫瘍は，両染性あるいは淡明で豊かな細胞質，明瞭な細胞膜，核のコーヒー豆様縦溝を特徴とし，核異型や核分裂は認められない．胞巣の中心部に粘液産生円柱上皮で被覆された腺管ないし囊胞構造を有することがある．しばしば間質に石灰化を認める．粘液性腫瘍（多くは腺腫）を合併することがある．

2. 境界悪性 Borderline
a. 境界悪性ブレンナー腫瘍 Borderline Brenner tumor（図譜 52, 53）
概 要

尿路（移行）上皮型細胞の増殖で構成される稀な境界悪性腫瘍である．

病理所見

ほとんどが片側性で，肉眼的に，大型の囊胞と囊胞内に突出する乳頭状成分を有する．

組織学的に，尿路の低異型度非浸潤性乳頭状尿路上皮癌に類似する．囊胞と囊胞腔内に尿路（移行）上皮型細胞が乳頭状構造ないし大型の胞巣を形成して圧排性に増殖し，浸潤像を欠く．細胞異型は，軽度ないし中等度である．粘液化生や扁平上皮化生を伴うことがある．ほとんどの例で，周囲に良性ブレンナー腫瘍成分を伴う．

3. 悪性 Malignant
a. 悪性ブレンナー腫瘍 Malignant Brenner tumor（図譜 54, 55）
概 要

異型尿路（移行）上皮型細胞で構成される稀な癌である．

病理所見

肉眼的に，大型の充実性腫瘍ないし結節を有する囊胞状腫瘍である．片側性が多いが，両側性のこともある．

組織学的に，浸潤性尿路上皮癌に類似する．腫瘍細胞が不規則な胞巣を形成して浸潤性に増殖する．腫瘍細胞の細胞質は淡明ないし好酸性で，異型は高度で核

クロマチンは増加し，核分裂がみられる。扁平上皮ないし粘液性分化を伴うことがある。間質は線維性で浸潤の判断が難しいことがあるが，腫瘍細胞の細胞異型が高度である場合は癌に分類する。囊胞壁には，同様の腫瘍細胞が多層化して増殖する。周囲に良性または境界悪性ブレンナー腫瘍成分を伴うが，これらがみられない場合は，高異型度漿液性癌や高異型度類内膜癌の可能性がある。

免疫組織化学的に，p63 陽性，通常 ER および WT-1 は陰性であり，p53 の異常発現は認めない。

G. その他の癌 Other carcinomas
1. 中腎様腺癌 Mesonephric-like adenocarcinoma （図譜 56, 57）
概要
中腎管（ウォルフ管 Wolffian duct）への分化を示す稀な腺癌である。多くはⅠ期で診断される。子宮内膜症を合併する例が多く，他のミュラー管型腫瘍（良性，境界悪性，低異型度漿液性癌）との合併例も報告されており，大多数はミュラー管型腫瘍から分化したものと考えられる。傍卵管の中腎遺残由来と考えられるものの報告もある。大多数の症例に *KRAS* 変異および 1 番染色体長腕の増幅を認める。

病理所見
通常，片側性である。肉眼的に，充実性ないし充実性成分と囊胞成分が混在する腫瘤である。

組織学的に，子宮頸部中腎癌と類似し，腫瘍細胞が管状，偽類内膜，スリット状，乳頭状，充実性構造を呈して浸潤性に増殖する。しばしば腺腔内に PAS 陽性好酸性硝子様物質を認める。扁平上皮への分化や粘液性分化はみられない。

免疫組織化学的に，GATA-3, TTF-1, CD10 は陽性，ER, PgR, WT-1 は陰性で，PAX8 が陽性のこともある。p53 の異常発現はみられない。

2. 未分化癌 Undifferentiated carcinoma （図譜 58）および
脱分化癌 Dedifferentiated carcinoma
概要
未分化癌は，特定の方向への分化を欠く癌である。脱分化癌は，一定方向への分化を示す癌が未分化癌と併存するものである。いずれも極めて稀で，広い年齢に発生する。多くは進行癌として診断され，リンパ節転移を伴い，予後は極めて不良である。DNA ミスマッチ修復異常の頻度が高い。

病理所見
肉眼的に大型の充実性腫瘤で，広範な壊死を伴う。

組織学的に，子宮内膜の未分化癌および脱分化癌と同様の組織像を呈する。すなわち未分化癌は，N/C 比が高く結合性が低下した異型細胞が，充実性胞巣，索状，びまん性に単調な増殖を示し，核分裂が目立つ。核が偏在し好酸性細胞質を有するラブドイド細胞や紡錘形細胞が混在することがある。しばしば地図状壊

死を伴う。

脱分化癌では，明瞭な腺管を形成する腺癌と未分化癌を認め，二者の境界は明瞭である。それぞれの割合は症例により異なる。多くの場合，腺癌成分は類内膜癌である。

免疫組織化学的に，未分化癌は上皮性マーカーやPAX8が陰性ないし巣状陽性にとどまり，ER, PgR, E-cadherinは陰性で，p53の異常発現はみられない。また，SMARCA4（BRG1）およびSMARCB1（INI1）の発現が消失する。なお，しばしばCD138が陽性を示す点は，リンパ腫との鑑別時に留意すべきである。

3. 癌肉腫 Carcinosarcoma（図譜 59, 60）

概要

高異型度の癌と肉腫成分で構成される稀な悪性腫瘍である。60歳以上に好発する。しばしば進行癌として診断され，予後不良である。肉腫成分は癌腫成分と同一の起源と考えられている。

病理所見

肉眼的に，大型の充実性腫瘤ないし充実性成分を有する囊胞性腫瘍で，割面で広範囲に出血や壊死を認める。

組織学的に，高異型度の上皮性悪性腫瘍と肉腫成分が種々の割合で混在し増殖する。肉腫成分は，平滑筋肉腫，線維肉腫，子宮内膜間質肉腫などの同所性 homologous の場合と，横紋筋肉腫，脂肪肉腫，軟骨肉腫，骨肉腫などの異所性 heterologous 成分を含むことがある。

4. 混合癌 Mixed carcinoma

概要

2つ以上の異なる組織型で構成される癌である。その頻度は上皮性悪性腫瘍の1%以下で，従来考えられていたよりさらに稀である。発生機序として，一方から他方の組織型への分化と，共通のクローンから2つの組織型への分化という2つが考えられている。

病理所見

2つ以上の異なる組織型とは，それぞれが形態的に明確に区別できるものを指し，中間的形態を示すものや衝突癌は該当しない。それぞれの成分の割合は問わないが，病理診断報告書には各組織型の割合を記載する。免疫組織化学的にも異なる形質が示されることが望ましい。最も多い組み合わせは類内膜癌と明細胞癌であるが，この場合，明細胞癌にはNapsin Aが，類内膜癌にはER, PgRが発現されることで，それぞれの組織型が確認できる。2つの異なる組織型に見えても，一方が他方の組織型の形態的バリエーションとして説明可能な場合が多い。特に，DNAミスマッチ修復異常を伴う類内膜癌は，しばしば腫瘍内の形態的多彩性が目立ち，これを複数の組織型と誤認しないよう注意を要する。

Ⅱ 間葉系腫瘍 Mesenchymal tumors

　低異型度類内膜間質肉腫 low-grade endometrioid stromal sarcoma, 高異型度類内膜間質肉腫 high-grade endometrioid stromal sarcoma, 平滑筋腫 leiomyoma, 平滑筋肉腫 leiomyosarcoma のいずれも稀であるが, 子宮体部にみられるものと同様の組織像を呈する。低異型度類内膜間質肉腫は子宮内膜症から発生し, 浸潤像は卵巣門部でのみ確認できる。低異型度類内膜間質肉腫が卵巣と子宮体部との両者に存在する場合, 卵巣は転移性である可能性が高い。

　その他, 極めて稀に, 粘液腫 myxoma を含む多彩な良性および悪性間葉系腫瘍 (血管腫 hemangioma, リンパ管腫 lymphangioma, 類上皮血管内皮腫 epithelioid hemangioma, 血管肉腫 angiosarcoma, 神経原性腫瘍 neurogenic tumor, 脂肪腫 lipoma, 軟骨腫 chondroma, 骨腫 osteoma, 神経節神経腫 ganglioneuroma, デスモイド腫瘍 desmoid tumor［線維腫症 fibromatosis］, 低悪性度粘液線維肉腫 low-grade fibromyxoid sarcoma, 腎臓外ラブドイド腫瘍 extrarenal rhabdoid tumor, 骨肉腫 osteosarcoma, 軟骨肉腫 chondrosarcoma, 横紋筋肉腫 rhabdomyosarcoma, 滑膜肉腫 synovial sarcoma) が発生しうる。これらの中には, 奇形腫から発生するものも珍しくない。診断時には, 軟部組織などの他臓器からの転移や, 腺肉腫や癌肉腫の肉腫成分の過剰増殖の可能性を除外する必要がある。

Ⅲ 混合型上皮性間葉系腫瘍 Mixed epithelial and mesenchymal tumors

A. 腺肉腫 Adenosarcoma （図譜 61, 62）

概要

　良性ミュラー管型上皮成分と肉腫成分で構成される稀な悪性腫瘍である。広い年齢にみられる。60％以上は卵巣に限局するが, 予後は子宮体部の腺肉腫よりも不良である。肉腫成分の過剰増殖や高異型度肉腫は予後不良因子である。

病理所見

　片側性で, 肉眼的に, 充実性腫瘤ないし充実性成分を伴う囊胞性腫瘤を形成し, しばしば被膜破綻や被膜浸潤がみられる。割面で壊死や出血を認めることがある。

　組織学的に, 子宮体部の腺肉腫と基本的に同一の腫瘍である。ミュラー管型上皮で被覆された腺管が腫瘍内に均等に分布し, 一部は葉状あるいは囊胞状を呈する。上皮には軽度から中等度の細胞異型がみられる。上皮成分の間には肉腫成分が増殖するが, 紡錘形細胞が腺管を同心円状に囲み, その細胞密度が腺管周囲で高い periglandular cuffing がみられることが多い。拡張した腺管内に肉腫成分がポリープのように突出することもある。肉腫成分は低異型度の子宮内膜間質肉腫に類似していることが多いが, 性索様成分, 平滑筋分化, 軟骨や横紋筋, 脂肪性分化を示すこともある。上皮成分を欠き肉腫成分のみからなる領域が腫瘍全体の25％以上を占める場合は予後不良で, 肉腫成分過剰増殖 sarcomatous overgrowth とよぶ。過剰増殖を示す肉腫成分は高異型度肉腫であることが多い。

Ⅳ 性索間質性腫瘍 Sex cord-stromal tumors

性索細胞とは卵巣の顆粒膜細胞，精巣のセルトリ細胞，間質細胞とは卵巣の莢膜細胞や線維芽細胞，精巣のライディッヒ細胞，あるいはこれらの発生過程でみられる細胞を指す．性索間質性腫瘍は，ホルモン産生能を有するものがあり，組織型により好発年齢が異なる．

A. 純粋型間質性腫瘍 Pure stromal tumors

1. 線維腫 Fibroma（図譜 63, 64）

概 要

異型に乏しい紡錘形細胞と膠原線維の増殖で構成される良性腫瘍である．間質性腫瘍の中で最も多く，卵巣腫瘍全体の約4%を占める．広い年齢に発生するが，30歳未満は稀である．両側性，あるいは若年者に発生する場合は，母斑性基底細胞癌症候群 nevoid basal cell carcinoma syndrome に留意する．線維腫はMeigs症候群（腫瘍の摘出によって改善する腹水や胸水の貯留を伴う）を呈することがある．

病理所見

通常，片側性である．肉眼的に，弾性硬で境界明瞭な白色または黄色調の充実性腫瘤である．しばしば浮腫や変性による囊胞形成が認められる．

組織学的に，紡錘形腫瘍細胞が，束状ないし花むしろ状に配列し，膠原線維，硝子化，様々な程度の浮腫を伴う．腫瘍細胞の細胞質は好酸性で狭く，細胞異型は認められず，通常核分裂は稀である．細胞質内に脂質や好酸性小滴を含むことがあり，脂質の有無のみで莢膜細胞腫との鑑別はできない．莢膜細胞の増殖を伴っていても腫瘍細胞の主体が線維芽細胞である場合は線維腫と診断する．

細胞密度が高いものの核異型が軽度な線維腫は富細胞性線維腫 cellular fibroma とよばれ，線維腫の10%程度の頻度でみられる．そのうち，高倍率10視野（$2.4\,mm^2$）あたり4個をこえる核分裂を有するものは活動性核分裂型線維腫 mitotically active cellular fibroma とよばれる．少量（腫瘍の10%未満）の性索成分を伴う場合は，僅少な性索成分を伴う線維腫 fibroma with minor sex cord elements とよぶ．

2. 莢膜細胞腫 Thecoma（図譜 65）

概 要

莢膜細胞に類似した腫瘍細胞を主体とする良性腫瘍である．卵巣腫瘍の1%未満で，ほとんどが閉経後に発生する．エストロゲンないし稀にアンドロゲン産生による内分泌学的徴候がみられることがある．

病理所見

片側性で，肉眼的に黄色調の充実性腫瘤で，変性による囊胞を伴うことがある．

組織学的に，莢膜細胞類似の腫瘍細胞が，びまん性ないし分葉状構造を呈して増殖し，線維芽細胞や膠原線維が混在する．腫瘍細胞は均一で，細胞質は好酸性

ないし泡沫様で，細胞膜は不明瞭である。通常，細胞異型に乏しく核分裂は稀であるが，ときに奇怪な核を有する細胞が混在することがある。好酸性ないし淡明で広い細胞質を有するステロイド細胞様細胞が混在することもある。少量（腫瘍の10％未満）の性索成分を伴う場合は，僅少な性索成分を伴う莢膜細胞腫 thecoma with minor sex cord elements とよぶ。

3. 硬化性腹膜炎を伴う黄体化莢膜細胞腫 Luteinized thecoma associated with sclerosing peritonitis （図譜66）

概 要
腹膜の硬化やそれによる腸管の閉塞（硬化性腹膜炎）を伴う莢膜細胞腫である。極めて稀な腫瘍で，30歳前後の若年女性に好発する。腹水を伴い，腹部膨満や腸閉塞症状をきたす。多くは内分泌学的徴候を示さない。腫瘍の再発や転移はみられないものの，腸管閉塞により死に至ることがある。

病理所見
通常，両側性で，褐色から赤色を呈する充実性腫瘤である。

組織学的に，腫瘍細胞は，紡錘形の莢膜細胞様細胞と，孤在性ないし胞巣を形成する黄体化細胞で構成され，浮腫や微小嚢胞形成を伴うことが多い。通常の莢膜細胞腫に比して細胞密度が高く，核分裂が目立つ。既存の卵巣組織すなわち卵胞が腫瘍内に残存する例もある。

免疫組織化学的に，紡錘形腫瘍細胞は calretinin, inhibin-α 陰性，SF1, FOXL2 陽性である。黄体化細胞は calretinin, inhibin-α 陽性である。

4. 硬化性間質性腫瘍 Sclerosing stromal tumor （図譜67, 68）

概 要
線維芽細胞や類上皮細胞の密な増殖よりなる領域と細胞密度が低い領域による偽分葉構造，拡張した血管を特徴とする稀な良性腫瘍である。20〜30代の若年女性に好発し，通常，内分泌学的徴候は示さない。Meigs 症候群（腫瘍の摘出によって改善する腹水や胸水の貯留を伴う）を呈することがある。

病理所見
片側性で，肉眼的に，充実部と浮腫性領域からなる腫瘤である。

組織学的に，細胞成分に富む領域と細胞密度が低い領域の介在による偽分葉構造および"鹿の角 staghorn 様"と称される不規則に拡張した壁の薄い血管の増殖を特徴とする。富細胞領域は，細胞質が空胞化した円形間質細胞，黄体化間質細胞，紡錘形細胞が混在して増殖し，空胞によって核が偏在する印環型細胞もみられる。いずれの腫瘍細胞も異型や核分裂に乏しい。腫瘍細胞間には膠原線維がみられる。

免疫組織化学的に，calretinin, inhibin-α 陽性で，上皮性マーカーは陰性である。

5. 微小嚢胞間質性腫瘍 Microcystic stromal tumor （図譜69）

概 要
微小嚢胞形成を特徴とする極めて稀な良性腫瘍である。広い年齢に発生する。

家族性腺腫性ポリポーシスの初発症状となることがある。大多数の症例にCTNNB1もしくはAPCの変異を認める。FOXL2やDICER1異常は認められない。

病理所見

　片側性で，肉眼的に，充実部ないし充実性と嚢胞部が種々の割合で混在する腫瘍である。

　組織学的に，腫瘍細胞が微小嚢胞形成性ないしびまん性に増殖する境界明瞭な腫瘍で，しばしば分葉状構造を呈する。腫瘍細胞の細胞質は好酸性顆粒状で，核は類円形ないし紡錘形で異型に乏しい。核分裂は目立たない。ときに奇怪な核を有する細胞が混在する。間質は線維性である。

　免疫組織化学的に，CD10陽性およびβ-cateninの核陽性像が認められ，calretinin, inhibin-α, EMAは陰性である。

6. 印環細胞間質性腫瘍 Signet-ring stromal tumor （図譜70）

概　要

　印環型腫瘍細胞と線維性間質で構成される極めて稀な良性腫瘍である。広い年齢に発生する。

病理所見

　片側性で，肉眼的に充実性腫瘍である。

　組織学的に，細胞質内グリコーゲンや脂質を欠く印環型細胞が線維性間質内に増殖する。印環型細胞の本質は，細胞外の基質で構成される偽封入体とそれによる核の圧排像と考えられる。細胞質内粘液を欠くことから転移性腺癌と鑑別される。免疫組織化学的に，inhibin-αおよびEMA陰性であるが，cytokeratinが巣状陽性を示すことがある。

7. ライディッヒ細胞腫 Leydig cell tumor

概　要

　卵巣門部に局在する稀なステロイド産生性良性腫瘍で，しばしば腫瘍細胞はラインケ結晶 Reinke crystalを有する。閉経後に好発する。ステロイド産生腫瘍の約20%を占め，アンドロゲン産生による内分泌学的徴候がみられることがある。

病理所見

　片側性で，卵巣門部の小型で境界明瞭な腫瘍であるが，肉眼的に認識できないこともある。

　組織学的に，境界明瞭な結節を形成する。腫瘍細胞は大型類円形ないし多稜形で，細胞質は豊富で好酸性ないし淡明である。多くはラインケ結晶を有するが，確認できないこともある。細胞質内にリポクローム色素がみられることもある。核は類円形で，明瞭な核小体を有し，核内偽封入体がみられることが珍しくない。核分裂は稀である。ときに，奇怪な核を有する腫瘍細胞を認める。間質の線維性増殖や腫瘍内の血管壁のフィブリノイド壊死を伴うことがある。卵巣門細胞の過形成を伴うことが多い。

　免疫組織化学的に，calretinin, inhibin-α，およびMelan-A陽性である。

8. ステロイド細胞腫瘍 Steroid cell tumor（図譜71）

概　要
　ステロイド細胞で構成される稀な腫瘍で，卵巣間質に発生する。約半数はアンドロゲン，10％はエストロゲン産生による内分泌学的徴候がみられる。ステロイド細胞腫瘍の30％程度は悪性の経過をたどり，悪性ステロイド細胞腫瘍 malignant steroid cell tumor とよばれる。

病理所見
　片側性で，肉眼的に充実性腫瘤を形成し，割面は黄色，オレンジ色，赤色，褐色調で，壊死や出血を認める。

　組織学的に，卵巣間質に腫瘍細胞がびまん性，索状，胞巣状，偽腺管状，濾胞様構造を形成して圧排性に発育する。腫瘍細胞は大型類円形ないし多稜形で，細胞質は豊富で好酸性ないし淡明（脂質の含有による）で，細胞質内にリポクローム色素を有するものもある。核は類円形で，明瞭な核小体を有する。核異型や壊死を伴い，核分裂が目立つことがある。腫瘍内の線維性間質の量は症例により異なる。腫瘍の周囲間質あるいは対側卵巣に莢膜細胞過形成がみられることがある。病理所見から良悪性を鑑別することは困難であるが，径7cm以上の大型の腫瘍，核分裂，壊死，出血，高度の細胞異型を示す場合は悪性経過をたどるリスクが高い。

　免疫組織化学的に，calretinin, inhibin-α, Melan-A 陽性で，FOXL2 陰性である。

9. 線維肉腫 Fibrosarcoma

概　要
　線維芽細胞様細胞で構成される極めて稀な悪性腫瘍である。

病理所見
　片側性の大型の充実性腫瘤で，割面で高度の出血と壊死を認める。しばしば周囲との癒着がみられ，卵巣外へ広がっていることがある。

　組織学的に，N/C比が高く中等度ないし高度の異型を示す紡錘形細胞が不規則な束を形成して増殖する。細胞密度は極めて高く，核分裂が目立ち，異型核分裂もみられる。壊死を伴うことが多い。

　免疫組織化学的に，巣状に calretinin, inhibin-α 陽性で，CD10 陰性である。

B. 純粋型性索腫瘍 Pure sex cord tumors

1. 成人型顆粒膜細胞腫 Adult granulosa cell tumor（図譜72〜75）

概　要
　顆粒膜細胞が，莢膜細胞や線維芽細胞を伴って増殖する悪性腫瘍である。卵巣腫瘍全体の1％程度で，閉経前後に好発する。しばしばエストロゲン，稀にアンドロゲン産生による内分泌学的徴候がみられる。子宮内膜増殖症や子宮内膜癌（類内膜癌）を伴うことがある。ときに，腫瘍の破綻による腹腔内出血や捻転による急性腹症をきたす。多くはⅠ期で診断され，Ⅰ期の10年生存率は90〜95％である。最も重要な予後因子は進行期で，組織像，核分裂，細胞異型は予後因子

とは言えない。Ⅰ期では，被膜破綻および腫瘍径15 cm以上の例の再発リスクが高い。全進行期をあわせると20〜30％が再発するが，初回治療後5年以上経過してからの再発例があることに鑑み，長期の経過観察が必要である。ほとんどの症例に *FOXL2* 変異を認める。

病理所見

片側性の充実性ないし嚢胞を伴う充実性腫瘍である。割面は淡褐色，黄色ないし灰白色で，嚢胞内に血液を容れる。

組織学的に，顆粒膜を模倣する腫瘍細胞が，好酸性無構造物を容れた大濾胞，索状，脳回状，充実性胞巣ないし島状構造を呈してあるいはびまん性に増殖する。腫瘍細胞が好酸性無構造物を取り囲みロゼット状に配列する微小濾胞構造は，Call-Exner bodyとよばれる。これらの細胞はN/C比が高いが小型で，細胞膜は不明瞭である。核は円形ないし卵円形で，クロマチンは繊細であり，コーヒー豆様の縦溝を有する。核分裂を認めることがある。細胞質が豊富で淡明化した黄体化細胞が結節を形成することがあるが，黄体化細胞には核の縦溝を欠く。腫瘍細胞の紡錘形化が顕著化し富細胞性線維腫との鑑別を要することもある。ときに奇怪な核を有する細胞が混在する。これらの周囲には線維芽細胞および莢膜細胞を認めるが，それぞれの成分の割合は症例により異なる。少量の若年型顆粒膜細胞腫成分が混在することがある。

免疫組織化学的に，calretinin, inhibin-α, FOXL2, SF1陽性である。ER, AE1/3（pan-cytokeratin），CD99, WT-1, α-SMA, desmin, CD10が陽性のことがある。通常，PAX8, CK7, EMAは陰性である。莢膜細胞腫との鑑別には鍍銀染色が有用で，顆粒膜細胞腫では嗜銀線維が腫瘍細胞胞巣を取り囲む。

2. 若年型顆粒膜細胞腫 Juvenile granulosa cell tumor（図譜76, 77）

概要

発生途中の顆粒膜細胞に類似した腫瘍細胞が，濾胞構造ないし充実性胞巣を形成する腫瘍である。頻度は顆粒膜細胞腫全体の約5％である。小児から若年者に好発し，しばしばエストロゲン，稀にアンドロゲン産生による内分泌学的徴候がみられる。小児では早発思春期を呈することが珍しくない。多くはⅠ期であり，Ⅰ期の予後は良好である。被膜破綻，腹腔細胞診陽性，卵巣外への進展は再発リスク因子であるが，再発の多くは術後3年以内にみられる。*FOXL2* 変異は認められない。

病理所見

片側性の大型充実性腫瘍ないし嚢胞性腫瘍で，充実性成分は淡褐色，黄色ないし灰白色を呈する。

組織学的に，腫瘍細胞が結節形成性ないしびまん性に増殖し，大きさや形が様々な濾胞構造を形成し，濾胞の内腔にはしばしば淡塩基性の液状物を容れる。弱拡大像で，薄紫色ないし灰色の腫瘍として捉えられる。Call-Exner bodyはみられない。腫瘍細胞の細胞質は淡好酸性ないし淡明で豊富である。核は類円形水

胞状で，縦溝は認められない。核異型や異型核分裂を含む多数の核分裂を認める例もある。成人型顆粒膜細胞腫やセルトリ細胞腫のごく一部に本腫瘍が併存することがある。

免疫組織化学的に，calretinin, inhibin-α, SF1, WT-1, CD99, CD56 は陽性である。FOXL2 や EMA が陽性を示すことがある。

3. セルトリ細胞腫 Sertoli cell tumor （図譜 78）

概要
管状構造を形成するセルトリ細胞で構成される稀な腫瘍である。広い年齢に発生する。エストロゲンないしアンドロゲン産生による内分泌学的徴候がみられることがあるが，偶然発見される例もある。一部の症例には *DICER1* 変異を認める。

病理所見
片側性で，多くは淡褐色ないし黄色調の充実性腫瘤であるが，嚢胞成分を伴うこともある。

組織学的に，セルトリ細胞類似の高円柱状細胞が，中空管 hollow tubule ないし中実管 solid tubule を形成する。腫瘍細胞の細胞質は好酸性ないし空胞状で，脂肪やグリコーゲンを有することもある。核は卵円形で，小型核小体を有し，核分裂は少ない。

4. 輪状細管を伴う性索腫瘍 Sex cord tumor with annular tubules （図譜 79）

概要
輪状細管 annular tubule で形成される腫瘍である。性索間質性腫瘍の 1% 未満と稀である。生殖細胞系列の *STK11* 異常を認めるもの（Peutz-Jeghers 症候群〔PJS〕の一環として発生；本腫瘍の約 30%）と，この異常を認めない孤発例がある。PJS 例は 30 歳未満に好発し，予後良好である。孤発例は 30 代以降に好発し，エストロゲン産生や悪性経過を示すことがある。

病理所見
PJS 例では，腫瘤を形成しないか多中心性の小型腫瘤を形成し，両側性が少なくない。孤発例は，片側性で，径 3 cm 以上の黄色調充実性腫瘤を形成し，嚢胞を伴うことがある。

組織学的に，腫瘍細胞が硝子様物の周囲に輪状に並ぶ輪状細管を形成して増殖する。輪状細管には，個々の輪状構造の間に線維性間質が介在する単純型と多数の輪状構造が癒合・交通する複雑型がある。腫瘍細胞は高円柱状で，細胞質は豊富で好酸性ないし淡明であり，核は類円形で基底側に配列する。通常，核異型は軽度で核分裂は稀であるが，孤発例ではこれらが目立つことがある。PJS 例では分化方向が不明な性索細胞巣や著明な石灰化を，孤発例では本腫瘍から顆粒膜細胞腫やセルトリ細胞腫への移行像を認めることがある。

免疫組織化学的に，calretinin, inhibin-α, SF1, WT-1, FOXL2, CD56 陽性で，EMA および CD10 は陰性である。

C. 混合型性索間質性腫瘍 Mixed sex cord-stromal tumors
1. セルトリ・ライディッヒ細胞腫 Sertoli-Leydig cell tumor

概要

　様々な程度の分化を示すセルトリ細胞およびライディッヒ細胞で構成される腫瘍である。卵巣腫瘍全体の0.5%未満と稀で、20代の若年者に好発する。特に網状型と*DICER1*の生殖細胞系列異常を有する例は、より若い年齢に発生する。約半数はアンドロゲン産生性、稀にエストロゲン産生性で、内分泌学的徴候がみられる。予後因子は、病期、分化度で、網状型や異所性成分として横紋筋ないし軟骨成分を認める例も予後不良である。高分化型の予後は良好であるが、中分化型では約10%、低分化型では約半数が悪性の経過をたどる。再発の多くは、術後2年以内に腹腔内にみられる。

　分子病理学的に3種類に分類される。最も頻度が高いのは*DICER1*異常で（50〜68%）、若年者に発生し、中分化型、低分化型、網状型のいずれかで、異所性成分を有することがある。一部は*DICER1*症候群の一環として発症する。残りの2つは*FOXL2*異常（閉経後に発生し、中分化型ないし低分化型であり、網状型や異所性成分を有することはない）と、これらいずれの異常も認めないもの（患者の年齢は上記2つの中間で、網状型や異所性成分を伴うことはない。高分化型はこれに含まれる）である。なお、*DICER1*異常と*FOXL2*異常は互いに排他的である。

病理所見

　片側性で、肉眼的に、充実性、囊胞性、これらの混在など症例により異なる。充実性成分は、灰白色ないし黄色調で均一である。

　組織学的に、高分化型、中分化型、低分化型、網状型に分けられ、中分化型が最も多い。中分化型、低分化型では、網状型や異所性成分を伴うことがある。異所性成分は通常、胃・腸型粘液上皮であるが、軟骨、横紋筋芽細胞などの非上皮成分のこともある。

　免疫組織化学的に、セルトリ細胞は通常、vimentin, calretinin, inhibin-α, SF1, WT-1, FOXL2陽性であるが、低分化型や網状型では陰性例がある。管状構造を形成するセルトリ細胞はcytokeratin陽性である。ライディッヒ細胞はcalretinin, inhibin-α, Melan-A陽性のことが多く、FOXL2およびWT-1は陰性またはごく一部にのみ陽性である。

a. 高分化型セルトリ・ライディッヒ細胞腫 Sertoli-Leydig cell tumor, well differentiated（図譜80）

　セルトリ細胞は円柱状で、管腔を有する中空管ないし充実性の中実管を形成し、細胞異型は軽度で核分裂は目立たない。間質は線維性で、ライディッヒ細胞が集簇ないし孤細胞性にみられる。ライディッヒ細胞の細胞質は空胞状ないしリポクローム色素やラインケ結晶を伴うものがある。

b. **中分化型セルトリ・ライディッヒ細胞腫 Sertoli-Leydig cell tumor, moderately differentiated**（図譜 81〜83）

　浮腫性間質内に，腫瘍細胞が不明瞭な分葉状ないし島状に密に増殖する。セルトリ細胞は未熟で，中空管，中実管，索状構造形成性ないしびまん性に増殖する。これらの細胞は小型で，細胞質は淡明，細胞境界は不明瞭であり，核クロマチンが増加し，軽度ないし中等度の異型を示す。核分裂は少数認めるのみである。稀に奇怪な細胞が混在する。ライディッヒ細胞は分葉状ないし島状構造の辺縁にみられ，ラインケ結晶を伴うことは稀である。

c. **低分化型セルトリ・ライディッヒ細胞腫 Sertoli-Leydig cell tumor, poorly differentiated**（図譜 84）

　原始性腺間質に類似する肉腫様の紡錘形細胞の増殖が主体で，核分裂を多く認める。ライディッヒ細胞はほとんどみられない。中分化型成分を少量伴うことが多い。

d. **網状型セルトリ・ライディッヒ細胞腫 Sertoli-Leydig cell tumor, retiform**（図譜 85）

　病変部の 90％以上が精巣網に類似したスリット状空隙の吻合や微小嚢胞構造で構成される。内腔を覆う細胞は平坦化あるいは立方状で，後者はセルトリ細胞の形状を示す。管腔内には，しばしばコロイド類似の好酸性物質がみられる。

2. その他の性索間質性腫瘍 Sex cord-stromal tumor NOS

　特定の分化が明瞭でない性索間質性腫瘍である。

3. ギナンドロブラストーマ Gynandroblastoma

概要

　女性型（成人型ないし若年型顆粒膜細胞腫）と男性型（セルトリ細胞腫ないしセルトリ・ライディッヒ細胞腫）の性索間質成分が混在する腫瘍である。アンドロゲンないしエストロゲン産生性による内分泌学的徴候を示すことがある。ほとんどが良性経過をたどり，再発は稀である。セルトリ・ライディッヒ細胞腫と若年型顆粒膜細胞腫が混在する症例では *DICER1* 変異を示すことから，その本質は純粋なセルトリ・ライディッヒ細胞腫の形態的亜型の可能性がある。一方，成人型顆粒膜細胞腫成分を有する症例も含めて *FOXL2* 変異は稀である。

病理所見

　片側性の淡黄色ないし白色の充実性腫瘍ないし嚢胞性腫瘍である。

　セルトリ・ライディッヒ細胞腫を主成分とし，少量の若年型顆粒膜細胞腫成分を伴うものが多い。免疫組織化学的に，calretinin，inhibin-α，FOXL2 陽性である。

Ⅴ 胚細胞腫瘍 Germ cell tumors

胚細胞（生殖細胞）を起源とする腫瘍であり，若年者に好発する。

A. 奇形腫 Teratomas
1. 成熟奇形腫 Mature teratoma（図譜86）

概要

2胚葉あるいは3胚葉由来の成熟組織で構成される良性腫瘍である。卵巣腫瘍全体の約20％を占め，性成熟期に好発する。抗 N-Methyl-D-aspartic Acid (NMDA) 受容体脳炎をきたすことがある。予後は良好であるが，稀に腫瘍核出後の残存卵巣に未熟奇形腫の発生や成熟奇形腫の悪性転化（体細胞型の悪性腫瘍の発生）をきたすことがある。

病理所見

肉眼的に多くは囊胞性であるが，稀に充実性のこともある。囊胞性のものは，囊胞内に毛髪，脂質，おから様の内容物を含み，皮様囊腫 dermoid cyst ともよばれる。しばしば囊胞壁に毛髪を伴う皮膚の隆起すなわち皮様結節（ロキタンスキー結節 Rokitansky nodule）を認める。骨や歯牙が確認できることもある。約10％は両側性である。

組織学的に，外胚葉由来の表皮，皮膚附属器（毛囊，毛髪，皮脂腺，汗腺），中枢神経組織，中胚葉由来の脂肪，骨，軟骨，平滑筋，内胚葉由来の呼吸上皮，消化管上皮，甲状腺，唾液腺が種々の程度に混在してみられることが多いが，稀にその他の組織を認めることがある。抗NMDA受容体脳炎の患者では，中枢神経組織を取り囲むリンパ球の浸潤を認める。

2. 未熟奇形腫 Immature teratoma（図譜87, 88）

概要

胎芽期の組織に類似する未熟組織（多くの場合，未熟な神経外胚葉成分）と成熟組織で構成される奇形腫である。かつての多胎芽腫 polyembryoma は，現在は未熟奇形腫の特殊型として位置づけられている。未分化胚細胞腫と並んで頻度の高い悪性胚細胞腫瘍で，30代未満に好発する。成熟奇形腫と同様に，抗NMDA受容体脳炎をきたすことがある。予後因子は，進行期，転移の有無，原発巣と転移巣それぞれの組織学的異型度（Grade）である。5年生存率は90％以上で，Ⅰ期ではほぼ100％に達する。稀に，化学療法後に卵巣外に成熟奇形腫を認め，growing teratoma syndrome とよばれる。

病理所見

片側性の大型充実性腫瘤ないし充実性成分を多く含む囊胞性腫瘤で，割面で充実性成分は灰白色ないし淡褐色調，肉様を呈し，出血や壊死を伴う。

組織学的に，未熟な組織と成熟した組織が様々な割合で混在する。未熟な神経上皮成分の割合に基づいて組織学的異型度分類（Grade 1〜Grade 3）を行い，これが予後推定の指標となる。すなわち，Grade 1 が低異型度，Grade 2，Grade 3

が高異型度として扱われる。未熟な神経上皮成分とは，神経管，ロゼットを形成する神経上皮，核分裂を伴う神経膠組織の密集である。ただし，成熟奇形腫内に微量の未熟な神経上皮成分を認める場合は，予後良好であり，未熟奇形腫には分類しない。組織学的異型度分類の具体的な評価方法を表2に示す。卵巣外に広がる腫瘍は，それぞれの部位で異型度分類をする。正確な異型度評価のためには多数のサンプリングが必要で，腫瘍径1cmごとに1個のブロックを目安とする。また，血清α-fetoprotein（AFP）が高値を示す場合は，十分なサンプリングによって卵黄嚢腫瘍の合併を除外することに留意する。

　成熟した神経膠組織のみからなる腹膜播種巣はGrade 0に相当し，腹膜神経膠腫症 peritoneal gliomatosis とよばれる。従来，腹膜神経膠腫症は，奇形腫の被膜破綻によって腹膜に播種した神経組織の生着や同部位で未熟組織が成熟化したものと考えられてきたが，奇形腫に由来する液性因子によって生じるという化生説が提唱され，多分化能を有する腹膜の細胞から発生する例もあると推測されている（**66頁**）。

　免疫組織化学的に，SALL4が未熟な神経成分や腸管型上皮に，AFPが幼若な消化管成分に陽性を示しうる。

表2　未熟奇形腫の組織学的異型度分類（Grading）

Grade 1	未熟な神経上皮成分を最も多く含む標本において，同成分の合計面積が，低倍率（対物×4）で1視野の範囲に収まる。
Grade 2	未熟な神経上皮成分を最も多く含む標本において，同成分の合計面積が，低倍率（対物×4）で3視野をこえない範囲に収まる。
Grade 3	未熟な神経上皮成分を最も多く含む標本において，同成分の合計面積が，低倍率（対物×4）で3視野をこえる範囲を占める。

B. 未分化胚細胞腫 Dysgerminoma（図譜89）

概要

　原始生殖細胞（始原生殖細胞）に類似した大型の腫瘍細胞で構成される悪性腫瘍である。精巣に発生するセミノーマと同様の組織像を呈する。悪性卵巣腫瘍全体の1～2％で，小児ないし若年者に好発する。性腺形成不全（アンドロゲン不応症）の患者では，性腺芽腫に続発して本腫瘍が発生することがある。しばしば血清LDH値の上昇を認め，稀に，血清ヒト絨毛性ゴナドトロピン（hCG）値の軽度上昇を示す例（合胞体栄養膜細胞 syncytiotrophoblast を伴う場合）もある。化学療法や放射線治療への感受性は良好で，10年生存率は90％以上であり，予後は良好である。

　約80％の症例に12番染色体短腕の異常を認める。また，しばしば*KIT*異常も認める。

> 病理所見

多くは片側性の大型充実性腫瘍である。割面は黄色調ないしクリーム色，肉様で分葉状構造を呈する。肉眼的腫瘍が片側性でも，約10％は組織学的に対側にも同様の腫瘍が認められる。

組織学的に，腫瘍細胞がシート状，充実性胞巣，索状形成性に増殖し，線維性間質が介在する。偽腺管を形成することもある。腫瘍細胞は大型多稜形で，細胞質は豊富でグリコーゲンの蓄積によって淡明ないし好酸性で，細胞境界は明瞭である。核は中心性，大型類円形で，核クロマチンは粗く，1個ないし2個の明瞭な核小体を有する。核分裂も目立つ。非腫瘍性小型リンパ球の浸潤を伴い，いわゆる two cell pattern を呈する。合胞体栄養膜細胞を伴う例がある。

免疫組織化学的に，SALL4, OCT4, CD117 (KIT), D2-40, PLAP が陽性である。EMA, CD30, glypican-3 は陰性である。

C. 卵黄嚢腫瘍 Yolk sac tumor （図譜90〜95）

> 概要

内胚葉由来の種々の胎芽外成分（卵黄嚢，尿膜）および胎芽組織（腸管，肺，肝）への分化を示す悪性胚細胞腫瘍である。30歳未満に好発し，AFPを産生し，血清AFP値の上昇が認められる。化学療法への感受性は高く，5年生存率はⅠ〜Ⅱ期で95％と予後は比較的良好である。約3/4の症例に12番染色体短腕の異常を認める。高齢者では，腺癌を基盤として発生することがあるが，この場合の予後は不良である。

> 病理所見

片側性の大型充実性腫瘍ないし嚢胞性腫瘍で，割面で出血，壊死，浮腫を認める。

組織学的に，以下の特徴的な組織像を呈し，①から⑥の頻度が高い。多くは複数の組織像が混在し移行する。腫瘍細胞は淡明な細胞質を有し，異型や核分裂の程度は個々の組織パターンにより様々である。しばしば，細胞内外に好酸性硝子小体 eosinophilic hyaline globule を認める。

①**微小嚢胞・網状型** microcystic and reticular pattern：細胞密度の低いまたは粘液腫様間質内に，淡明な細胞質を有する立方形ないし扁平な腫瘍細胞が迷路様構造や微小嚢胞を形成して増殖する。腫瘍細胞の細胞質はグリコーゲンに富む。最も頻度の高い像である。

②**内胚葉洞型** endodermal sinus pattern：Schiller-Duval body（血管周囲に高円柱状の腫瘍細胞が配列し，その外側の空隙を介してさらに扁平な腫瘍細胞が取り囲む構造）を形成する。

③**充実型** solid pattern：淡明で豊富な細胞質を有する細胞や，ときに小型で細胞質に乏しい腫瘍細胞で構成される。

④**乳頭型** papillary pattern，⑤**腺管型** glandular pattern：乳頭状構造や腺管を形成する腫瘍細胞は円柱状で，核下・核上空胞を有し分泌期子宮内膜腺に類似する。

⑥花鎖型 festoon pattern：腫瘍細胞が複雑な凹凸を示す索状構造を呈して配列する。

⑦多小胞状卵黄囊型 polyvesicular vitelline pattern：ヒト初期胚の二次卵黄囊に類似した多数の小囊胞構造が線維性間質内に増殖する。小囊胞構造を被覆する細胞は扁平で単層に配列し，細胞質は淡明である。これらの細胞は円柱状細胞へと移行し，移行部が小胞からくびれて内胚葉性の腺管を形成する。

⑧壁側板型 parietal pattern：基底膜物質内に腫瘍細胞が線状に配列する。

⑨間葉様型 mesenchyme-like pattern：浮腫状ないし粘液腫様結合織内に腫瘍細胞が散在する。

⑩肝様型 hepatoid pattern：肝細胞に類似する好酸性の腫瘍細胞が充実性胞巣状，管状，索状に配列する。間質に基底膜物質が認められることがある。

免疫組織化学的に，SALL4, AFP, glypican-3 が陽性である。肝様型では Hep Par-1，腸管への分化を示す場合は CDX2，前腸ないし肺への分化を示す場合は TTF-1 が陽性を示す。

D. 胎芽性癌 Embryonal carcinoma（図譜 96）
概　要
大型の未熟な腫瘍細胞で構成される悪性胚細胞腫瘍である。純粋型は稀で，他の胚細胞腫瘍と混在することが多い。小児から若年層に発生する。腫瘍内の出血，梗塞による骨盤痛や腹痛で発症することがある。しばしば月経異常や早発思春期などの内分泌学的徴候がみられる。また，血清 hCGβ 値の上昇を認めることがある。12 番染色体短腕の異常を認める頻度が高い。

病理所見
片側性の大型腫瘤で，割面で出血と壊死がみられる。

組織学的に，胎芽期の未熟な上皮様異型細胞が乳頭状，管状構造あるいは充実性胞巣を形成して増殖する。腫瘍細胞は円柱状大型で，核は長円形，核小体は明瞭で，核分裂が目立つ。

免疫組織化学的に，cytokeratin, OCT4, CD30 が陽性で，D2-40, CD117（KIT）は陰性である。

E. 非妊娠性絨毛癌 Non-gestational choriocarcinoma（図譜 97）
概　要
細胞性栄養膜細胞と合胞体栄養膜細胞で構成され，妊娠とは無関係に発生する悪性腫瘍である。純粋型は極めて稀で，多くは混合型胚細胞腫瘍の成分としてみられる。小児もしくは若年層に好発し，早発思春期や性器出血で発症する。稀に閉経後に上皮性悪性腫瘍と混在することがあり，その場合は体細胞からの分化と考えられる。血清 hCGβ 値が種々の程度に上昇する。妊娠性絨毛癌に比して化学療法の有効性は低く，予後不良である。

病理所見

充実性大型腫瘤で，割面で広範囲に出血や壊死を認める。

組織学的に，類円形で単核の細胞性栄養膜細胞 cytotrophoblast (CT)，多核で好塩基性の広い細胞質を有する合胞体栄養膜細胞 syncytiotrophoblast (ST) に類似する腫瘍細胞で構成され，高度の細胞異型を示す。多くの場合，CTの集団をSTが囲む。しばしば，高度の出血と壊死を伴う。

免疫組織化学的に，hCGβは主にSTに陽性であるが，CTも一部陽性を示す。単核細胞のなかにはヒト胎盤ラクトーゲン human placental lactogen (hPL) 陽性のものもみられる。

F. 混合型胚細胞腫瘍 Mixed germ cell tumor

概要

複数の組織型の悪性胚細胞腫瘍で構成される腫瘍である。悪性胚細胞腫瘍の10～20%を占める。小児や若年層に多く，しばしば早発思春期をきたす。卵黄嚢腫瘍，胎芽性癌，未熟奇形腫 Grade 3 の成分が多いものは予後が不良である。

病理所見

充実性成分と嚢胞成分よりなる大型の腫瘤を形成する。割面の所見は，構成する組織型の特徴を有する。

未分化胚細胞腫と卵黄嚢腫瘍の混合が最も多い。「混合型」と診断するための量的基準（少ない方の組織型が腫瘍全体に占める割合）はないが，未熟奇形腫と併存する場合に限って，卵黄嚢腫瘍ないし胎芽性癌が径3mmをこえる場合に混合型胚細胞腫瘍とする。

G. 単胚葉性奇形腫 Monodermal teratomas および奇形腫から発生する体細胞型腫瘍 Somatic neoplasms arising from teratomas

単胚葉性奇形腫は，単一構成成分が腫瘍性に増殖する奇形腫である。奇形腫から発生する体細胞型腫瘍と厳密に区別できるものではないが，慣例的に，癌，肉腫，悪性黒色腫は奇形腫から発生する体細胞型腫瘍に分類されてきた。奇形腫から発生する体細胞型腫瘍の患者の治療時の年齢は，通常の成熟奇形腫よりも20歳程高い。45歳以上の径10cmをこえる奇形腫は体細胞型悪性腫瘍を伴うリスクが高い。定義上，奇形腫から発生する体細胞型腫瘍の診断には奇形腫成分の存在が必要である。

1. 卵巣甲状腺腫 Struma ovarii （図譜 98）

a. 卵巣甲状腺腫 Struma ovarii NOS

概要

すべて，あるいは大部分が甲状腺組織よりなる奇形腫である。他の奇形腫成分と混在する場合は，卵巣甲状腺腫を伴う奇形腫とする。甲状腺組織が顕微鏡的に混在する程度のものは，単に奇形腫とする。単胚葉性奇形腫のなかで最も頻度が

高い。性成熟期に好発し，偶然発見されることが多いが，腹水を伴うものがある。稀に甲状腺機能亢進を伴うことがある。

病理所見

片側性で，多くは充実性ないし充実性成分と嚢胞成分が混在する腫瘍であるが，嚢胞性腫瘍のこともある。充実性成分は正常甲状腺や腺腫様甲状腺に類似し，灰白色ないし暗赤色から褐色調を呈する。

組織学的に，通常の甲状腺組織と区別できないものから腺腫様甲状腺腫や濾胞腺腫様の像を示すものなどがある。

免疫組織化学的に，TTF-1 および PAX8 陽性である。

b. 悪性卵巣甲状腺腫 Struma ovarii, malignant

卵巣甲状腺腫から発生する悪性腫瘍である。最も頻度が高いのは甲状腺乳頭癌で，濾胞癌がそれに次ぐ。稀に，組織学的に悪性と認識できない卵巣甲状腺腫の像を呈する腫瘍が腹膜に播種をきたすことがある。同病変は，かつては「良性甲状腺腫症」とよばれていたが，現在では悪性腫瘍の腹膜播種と考えられ，"highly differentiated follicular carcinoma"とよばれる。

2. カルチノイド Carcinoid (図譜 99〜101)

概 要

消化管の神経内分泌腫瘍 neuroendocrine tumor (NET) Grade 1 に類似した腫瘍である。卵巣腫瘍の約1％で，広い年齢に発生する。ペプチド YY を産生し高度な便秘をきたす例がある。ほとんどの例は予後良好である。ただし，粘液性カルチノイドと島状カルチノイドは悪性経過をたどることがある。本腫瘍は，成熟奇形腫の神経内分泌細胞成分から発生する単胚葉性奇形腫と考えられている。

病理所見

片側性で，典型例では充実性腫瘍を形成するが，嚢胞を伴う例，成熟奇形腫や卵巣甲状腺腫，稀に粘液性嚢胞腺腫の中に結節を形成することがある。小型腫瘍のうちに診断されることもある。

組織学的に，島状カルチノイド insular carcinoid（腫瘍細胞が島状構造を形成する）と甲状腺腫性カルチノイド strumal carcinoid の頻度が高く，索状カルチノイド trabecular carcinoid（腫瘍細胞が索状構造を形成する）や粘液性カルチノイド mucinous carcinoid（核が基底側に偏在する杯細胞と円柱上皮の混在で構成される小型腺管が粘液湖内に浮遊する）は稀である。カルチノイドを構成する細胞は類円形，均一で，核クロマチンはごま塩様 salt-and-pepper と形容される特徴的な像を呈する。細胞質は好酸性で，ときに赤褐色の嗜銀性顆粒を有する。甲状腺腫性カルチノイドは卵巣に特有のカルチノイドであり，カルチノイド，甲状腺腫，これらの中間移行型細胞が混在する。カルチノイド成分は索状配列を示すことが多い。

免疫組織化学的に，カルチノイドは神経内分泌マーカー陽性である。

3. 他の単胚葉性奇形腫 Other rare monodermal teratomas
いずれも極めて稀である。

a. 単胚葉性嚢胞性奇形腫 Monodermal cystic teratoma
外胚葉ないし内胚葉のいずれか一方に由来する組織で構成される腫瘍のうち，卵巣甲状腺腫，カルチノイド，神経外胚葉性腫瘍以外を指す。

b. 神経外胚葉性腫瘍 Neuroectodermal-type tumors （図譜 102）
ほとんどが神経外胚葉成分で構成される腫瘍で，上衣腫 ependymoma などのよく分化したもの，原始神経外胚葉性腫瘍 primitive neuroectodermal tumor (PNET)，髄上皮腫 medulloepithelioma などの低分化なもの，膠芽腫 glioblastoma multiforme のような退形成性のものがある。

4. 奇形腫から発生する粘液性腫瘍 Mucinous tumors arising from teratomas
卵巣粘液性腫瘍の 5% 程度は背景に奇形腫成分を認め，奇形腫由来と考えられる。腺腫，境界悪性腫瘍，腺癌があるが，形態・形質ともに虫垂原発の粘液性腫瘍に類似し，卵巣外に広がり腹膜偽粘液腫をきたすことがある（上皮性腫瘍 23 頁～，転移性腫瘍 59 頁～，腹膜偽粘液腫 65 頁）。

5. 奇形腫から発生する悪性腫瘍 Malignant tumors arising from teratomas （図譜 103）
成熟奇形腫における悪性転化の約 80% を扁平上皮癌が占め，2 番めに多い腺癌は 7% 程度である。その他，悪性黒色腫，脂腺癌，小細胞癌，基底細胞癌，移行上皮癌，未分化癌，癌肉腫，肉腫，リンパ腫などがある。予後因子は病期である。

6. その他の腫瘍 Other tumors
脂腺腫瘍（脂腺腺腫 sebaceous adenoma，脂腺上皮腫 sebaceous epithelioma），脈絡膜乳頭腫，グロムス腫瘍，良性軟部腫瘍などがある。

H. 胚細胞・性索間質性腫瘍 Germ cell-sex cord-stromal tumors
1. 性腺芽腫 Gonadoblastoma （図譜 104, 105）
概 要
胚細胞と性索細胞が混合する胞巣を形成し，発生途中の卵巣ないし精巣を模倣する腫瘍である。性腺形成異常症に発生し，性腺形成異常症の約半数に性腺芽腫を認める。*WT1* 変異（Denys-Drash 症候群，Frasier 症候群），*SRY* 変異（Swyer 症候群）による性腺形成異常を背景に発生するものもある。40 歳以下の若年者で診断され，1/3 は 15 歳未満である。患者の表現型は，半数が男性化徴候を示す女性で，残りは男性化徴候を示さない女性ないし尿道下裂や停留精巣の男性である。無月経や外性器異常の精査をきっかけに診断される。

病理所見
小型充実性腫瘍のほか，1/4 の症例では腫瘍が微視的である。割面で石灰化が確認できることがある。1/3 の症例は両側性である。

組織学的に，胚細胞と性索細胞で構成される類円形の胞巣が線維性間質内に増殖する。胚細胞は，未分化胚細胞腫に類似して大型で，細胞質は豊富で淡明，細胞境界が明瞭である。核は中心性，大型類円形で，明瞭な核小体を有する。核分裂もみられる。性索細胞は，小型円形でN/C比が高く，クロマチンに富む未熟な核を有し，胚細胞や球状基底膜様物質を取り囲んで配列する。間質には高頻度に石灰化を認め，黄体化細胞やライディッヒ細胞がみられることもある。半数以上の症例で，未分化胚細胞腫をはじめとする二次的悪性胚細胞性腫瘍を伴う。

免疫組織化学的に，胚細胞はOCT4, PLAP, D2-40陽性で，性索細胞はcal-retinin, inhibin-α, SF1, FOXL2陽性である。

2. 分類不能な混合型胚細胞・性索間質性腫瘍 Mixed germ cell-sex cord-stromal tumor, unclassified

生殖細胞と性索成分が混在するものの，性腺芽腫の組織学的特徴を示さない腫瘍である。10歳未満の性腺発育不全を有さない女児に認められる。片側性の大型充実性腫瘍を形成し，約10%は未分化胚細胞腫や他の悪性胚細胞腫瘍を合併する。

Ⅵ その他の腫瘍 Miscellaneous tumors

A. ウォルフ管腫瘍 Wolffian tumor（図譜106, 107）

概要

ウォルフ（中腎）管に由来する稀な腫瘍である。従来female adnexal tumor with probable Wolffian origin（FATWO）とよばれてきた。広い年齢に発生する。好発部位は広間膜であるが，卵巣門部や傍卵管にも発生する。多くは良性の経過をたどるが，少数例ながら再発，腫瘍死例の報告があり，組織像のみで臨床経過を予測することが困難なため，術後長期の経過観察を要する。

病理所見

片側性の充実性腫瘍ないし囊胞を伴う充実性腫瘍で，充実性成分は灰白色ないし黄色調，分葉状である。

組織学的に，境界明瞭な腫瘍である。腫瘍は，円柱状の細胞が管状，囊胞状，網目状，篩状構造形成性ないし充実性に増殖する像，紡錘形細胞がびまん性に増殖する像，単層に配列する立方状ないし扁平な細胞が大小の囊胞を形成する像が種々の割合で混在する。間質は線維性で，しばしば石灰化を認める。PAS染色を行うと，充実性成分の多くは実際には内腔が不明瞭な管状構造を形成していることがわかる。管状構造の内腔には，PAS陽性の好酸性物質がみられる。腫瘍細胞の細胞質は好酸性で狭く，核は均一でクロマチンの増加や核分裂は目立たない。

免疫組織化学的に，AE1/3（pan-cytokeratin）およびvimentinはびまん性陽性で，androgen receptorが陽性のことが多い。Calretinin, inhibin-α, FOXL2, WT-1は巣状陽性を示し，CD10は管状構造の内腔側を縁取る陽性像を示す。EMA, ER, PgRは通常陰性で，GATA3, PAX8, SF1は陰性のことが多い。

B. 高カルシウム血症型小細胞癌 Small cell carcinoma, hypercalcemic type（図譜 108, 109）

概　要

　　高頻度に高カルシウム血症を伴う稀な未分化腫瘍であり，主として小型異型細胞で構成される。20～30代の若年成人ないし小児に好発する。70%弱の患者に高カルシウム血症が認められるが，腫瘍随伴徴候をきたすことは少ない。予後不良である。最も重要な予後因子は病期である。30歳以上，高カルシウム血症を欠く，腫瘍径10 cm未満，大型細胞を欠くことは，予後良好の予測因子として知られている。ほぼ全例に，生殖細胞系列ないし体細胞の *SMARCA4* 変異を認める。

病理所見

　　片側性の大型充実性腫瘤である。割面は貝柱様，淡黄色調で，しばしば出血・壊死，囊胞変性を認める。

　　組織学的に，小型の上皮様腫瘍細胞がびまん性，充実性胞巣状，索状，濾胞様構造形成性に密に増殖する。しばしば濾胞内に好酸性内容物がみられる。腫瘍細胞は，N/C比が極めて高く，細胞質は好酸性である。核は均一で，クロマチンが増加し，小型核小体を有する。核分裂が目立つ。約半数の症例では，上記と混在して，好酸性ないし淡明で豊富な細胞質を有する大型腫瘍細胞を認め，稀に大型腫瘍細胞が量的に優位なものもある（small cell carcinoma, hypercalcemic type, large cell subtype）。介在する間質は狭く線維性で，腫瘍内には壊死を認める。ときに紡錘形細胞や好酸性細胞質を有する大型細胞，ラブドイド細胞，粘液細胞で被覆された管腔や囊胞，稀に印環細胞が認められる。

　　免疫組織化学的に，ほぼ全例でSMARCA4の発現が消失し，WT-1, p53, p16^{INK4a} はびまん性陽性，inhibin-αおよびTTF-1は陰性である。

C. 充実性偽乳頭状腫瘍 Solid pseudopapillary neoplasm

概　要

　　膵臓に発生する同名の腫瘍と同様の形態を示す極めて稀な腫瘍で，その起源は不明である。広い年齢に発生する。文献的には壊死，脈管侵襲，多数の核分裂を伴った場合の死亡例が報告されており，境界悪性ないし低悪性度の腫瘍として位置づけられている。ほぼ全例に *CTNNB1* 変異を認める。

病理所見

　　肉眼的に，囊胞を伴う充実性腫瘤である。

　　組織学的に，腫瘍細胞が充実性胞巣形成性ないしびまん性に増殖し，随所で腫瘍細胞の変性・脱落によって，血管周囲に残存した腫瘍細胞が乳頭状構造を呈しているようにみえる（偽乳頭状構造）。腫瘍細胞は，小型，多稜形で，細胞質は淡明ないし泡沫様であり，しばしば核周囲に空胞がみられる。核は円形，均一で異型は軽度で，核分裂は少ない。間質にはしばしば硝子化を認める。

免疫組織化学的に，β-catenin（核および細胞質），vimentin, CD10, CD56, CD99, WT-1, α1-antitrypsin 陽性で，CAM5.2（低分子量 cytokeratin）が核周囲にドット状の陽性像を示すことがある。E-cadherin は陰性である。

D. その他の腫瘍 Miscellaneous tumors

a. 卵巣網の腫瘍 Tumors of the rete ovarii
卵巣門部に発生する上皮性腫瘍で，卵巣網腺腫と卵巣網腺癌がある。診断確定には他の原発性上皮性卵巣腫瘍や転移性腫瘍である可能性を除外する必要がある。

b. ウィルムス腫瘍 Wilms tumor（腎芽腫 Nephroblastoma）
小児の腎臓に発生するウィルムス腫瘍と同様の形態を示す。ときに卵巣で認められる後腎組織ないし原始中胚葉が起源である。

c. 神経内分泌癌 Neuroendocrine carcinoma
肺，消化管，膵臓，子宮頸部・体部の神経内分泌癌と同様の形態を示す稀な悪性腫瘍で，小細胞神経内分泌癌 small cell neuroendocrine carcinoma と大細胞神経内分泌癌 large cell neuroendocrine carcinoma に分けられる。閉経後に発生し，進行例が多く，予後不良である。

d. リンパ性・骨髄性腫瘍 Lymphoid and myeloid tumors
様々な造血器腫瘍が発生するが，いずれも稀で，その多くは卵巣以外で発生した腫瘍の進展による二次性のものである。リンパ腫 lymphoma では，びまん性大細胞型 B 細胞リンパ腫の頻度が比較的高いが，小児ではバーキットリンパ腫 Burkitt lymphoma もみられる。ホジキンリンパ腫 Hodgkin lymphoma や卵巣に限局する形質細胞腫は極めて稀である。骨髄球系細胞に由来する悪性腫瘍が卵巣に限局性腫瘤を形成する場合は骨髄肉腫 myeloid sarcoma（顆粒細胞肉腫 granulocytic sarcoma）とよばれる。

Ⅶ 腫瘍様病変 Tumor-like lesions

A. 子宮内膜症性嚢胞 Endometriotic cyst（図譜 110～112）

概　要

子宮内膜腺と内膜間質で被覆された嚢胞性病変である。性成熟期に好発する。臨床的にチョコレート嚢胞とよばれる。

病理所見

肉眼的に，褐色調ないしチョコレート様の陳旧性血性内容を容れた嚢胞性腫瘤である。しばしば嚢胞壁の不規則な肥厚や嚢胞壁内腔側の黄色調斑状病変がみられる。

組織学的に，嚢胞壁は子宮内膜腺型円柱上皮と上皮下の内膜間質で被覆される。上皮が剥脱し，出血やヘモジデリン貪食組織球を伴う肉芽組織や線維性組織のみから構成されることが比較的多いが，丹念に観察するとどこかに内膜間質が残存している。上皮には，しばしば種々の化生性変化がみられるほか，核腫大，核の大小不同，核クロマチンの増加など反応性異型がみられる。内膜症性嚢胞内に，

子宮内膜腺および内膜間質よりなる隆起性病変すなわち子宮内膜ポリープ類似の病変を形成する場合は，ポリープ状子宮内膜症 polypoid endometriosis とよぶ。

稀に，内膜腺の密な増殖によって子宮内膜増殖症や子宮内膜異型増殖症/類内膜上皮内腫瘍に類似した像を呈する場合や，反応性異型をこえる細胞異型と核密度の増加を示すことがあり，その場合，異型子宮内膜症 atypical endometriosis とよばれる。

B. 卵胞嚢胞 Follicle cyst
概　要
顆粒膜細胞とその外側の莢膜細胞で被覆された生理的嚢胞で，径3 cm をこえるものを指す。性成熟期だけでなく，新生児や思春期や閉経期にもみられることがあり，新生児では，破綻や捻転をきたすことがある。多くは自然消退する。
病理所見
通常，卵巣内の単発性で壁の薄い嚢胞として捉えられる。内容液は透明である。
組織学的に，嚢胞は，一層ないし数層程度の顆粒膜細胞で被覆され，その外側を莢膜細胞が取り囲む。

C. 黄体嚢胞 Corpus luteum cyst
概　要
径3 cm をこえる嚢胞化した黄体である。性成熟期にみられ，無症状で自然に退縮することが多いが，破綻して出血をきたすことがある。
病理所見
卵巣内の，3 cm をこえる嚢胞で，嚢胞内腔には血液が貯留している。
組織学的に，嚢胞内腔は，豊富な好酸性細胞質を有する黄体化顆粒膜細胞の層とその外側の比較的小型の莢膜細胞で構成される。

D. 大型孤在性黄体化卵胞嚢胞 Large solitary luteinized follicle cyst
概　要
黄体化細胞で構成される片側性の大型嚢胞である。妊娠中にみられ，臨床的に卵巣腫瘍との鑑別を要する。hCG に対する異常反応と考えられているが，内分泌学的徴候は認められない。捻転をきたし，腹痛の原因となることがある。
病理所見
薄い壁を有する単房性嚢胞で，径20 cm をこえることが少なくない。内容液は水様である。
組織学的に，豊富な好酸性あるいは空胞化した細胞質を有する顆粒膜細胞で被覆され，その周囲を莢膜細胞が取り巻く。莢膜細胞には多形性に富む大型細胞が混在するが，核分裂は認められない。

E. 黄体化過剰反応 Hyperreactio luteinalis

概要
両側性の，黄体化を伴う多発性卵胞嚢胞である。妊娠，排卵誘発剤，多胎，胎児水腫，絨毛性疾患に伴って認められる。医原性のものは卵巣過剰刺激症候群 ovarian hyperstimulation syndrome（OHSS）とよばれる。

病理所見
多発嚢胞によって卵巣が腫大し，10 cm をこえることがある。

組織学的に，黄体化した顆粒膜細胞とその外層の莢膜細胞で構成される嚢胞の多発と間質の浮腫を認める。間質にも黄体化細胞がみられる。

F. 妊娠黄体腫 Pregnancy luteoma

概要
妊娠時に発生する黄体化細胞の過形成である。妊娠後期，帝王切開術，分娩直後に偶然発見されることが多い。ときに男性化徴候を示す。分娩後に自然消退する。

病理所見
片側卵巣に結節性病変を形成する。径 20 cm をこえるものもある。割面は多結節性褐色調で軟らかい。

組織学的に，豊富な好酸性細胞質を有する黄体化顆粒膜細胞が充実性，索状あるいは濾胞状構造を呈して増殖する。妊娠黄体は，妊娠初期に発生し，割面が脳回状で，黄体化した顆粒膜細胞と莢膜細胞で構成され，妊娠黄体腫と鑑別される。

G. 間質過形成 Stromal hyperplasia および間質莢膜細胞過形成 Stromal hyperthecosis

概要
間質過形成は両側卵巣の間質細胞の過形成によるびまん性腫大であり，間質莢膜細胞過形成は黄体化細胞の増殖を伴う間質過形成である。閉経期ないし閉経後に偶然診断されることが多い。間質莢膜細胞過形成では，しばしば内分泌学的徴候を伴う。

病理所見
両側卵巣が結節状ないしびまん性に腫大する。

組織学的に，卵円形ないし紡錘形の間質細胞が境界不明瞭な結節を形成するか，びまん性に密に増殖する。間質莢膜細胞過形成では，豊富な好酸性あるいは淡明な細胞質を有する黄体化間質細胞の孤在性ないし集簇性増殖を伴う。

H. 線維腫症 Fibromatosis

概要
膠原線維と線維芽細胞の増殖によって卵巣のびまん性腫大をきたす病変である。閉経前，特に若年層に発生する。アンドロゲンによる内分泌学的徴候がみられる

ことがある。軟部組織に発生する線維腫症（デスモイド腫瘍）とは関連がない。

> 病理所見

片側性卵巣の腫大をきたし，割面は線維性硬である。

組織学的に，紡錘形細胞が束状形成性に錯綜，あるいは花むしろ状に増殖し，これらの間に卵胞や卵胞由来の構造が保持される。黄体化間質細胞，性索様構造物がみられることもある。

I. 広汎性浮腫 Massive edema

> 概 要

間質の高度の浮腫による卵巣のびまん性腫大をきたす病変である。若年層に発生し，しばしば茎捻転を伴い，腹痛で発症することがある。アンドロゲンによる内分泌学的徴候がみられることがある。

> 病理所見

片側性卵巣の腫大をきたし，割面は浮腫性で，しばしば出血や小嚢胞を伴う。

組織学的に，卵巣間質の高度の浮腫を認めるが，卵胞や卵胞由来の構造が保持される。黄体化間質細胞の増生を伴うことがある。

J. ライディッヒ細胞過形成 Leydig cell hyperplasia
（門細胞過形成 Hilar cell hyperplasia）

> 概 要

卵巣門部におけるライディッヒ細胞の過形成である。妊婦ないし閉経後にみられる。

> 病理所見

病変は微視的で，肉眼的異常を認めない。

組織学的に，卵巣門部でライディッヒ細胞が結節形成性に増殖する。ときにライディッヒ細胞が卵巣網や神経束を囲むように分布する。ライディッヒ細胞は多稜形で，細胞質は豊富で好酸性，核は中心性類円形で明瞭な核小体を有する。しばしば細胞質内にラインケ結晶が認められる。間質過形成や間質莢膜細胞過形成が併存することがある。

K. その他 Others

妊娠時顆粒膜細胞過形成 granulosa cell proliferation of pregnancy，異所性脱落膜 ectopic decidua（脱落膜症 deciduosis），自己免疫性卵巣炎 autoimmune oophoritis，中皮過形成 mesothelial hyperplasia，放線菌などによる卵管・卵巣膿瘍 tuboovarian abscess，肉芽腫性炎症が腫瘍に類似することがある。

Ⅷ 転移性腫瘍 Metastatic tumors（図譜113〜116）

概要

　卵巣外の臓器を原発巣とする悪性腫瘍の卵巣へ転移である。原発巣より先に転移巣である卵巣腫瘍が発見され，術後に病理学的に転移性であることが疑われる，ないし判明することがある。原発巣となりうる臓器は多岐にわたるが，我が国では近年の結腸・直腸癌や乳癌の増加に伴って，これらの卵巣への転移が珍しくない。その他，子宮頸癌，子宮体癌，胃癌，肺癌，膵臓癌，胆嚢癌などの転移も少なくない。クルケンベルグ腫瘍（印環細胞癌が10％以上を占める転移性腫瘍）は比較的若年層に発生し，しばしばしば40歳未満にもみられ，ほとんどが胃を原発巣とする。

　卵巣の腫瘍が原発性か転移性かは，肉眼像，組織像，免疫組織化学のみでは鑑別が困難なこともあり，最終的には，既往歴や手術所見を含む臨床所見を加味して総合的に判断する必要がある。

病理所見

　転移性卵巣腫瘍の約70％は両側性であり，一方，両側性卵巣腫瘍の15〜20％は転移性である。肉眼的に，充実性，充実性成分と囊胞の混合，囊胞性と症例により多彩であり，しばしば，原発巣では囊胞を形成しない腫瘍（例えば大腸癌）が転移先の卵巣で囊胞を形成する。

　転移性腫瘍を示唆する所見は，腫瘍の卵巣被膜面ないし被膜直下の局在，卵巣門部への浸潤ないしリンパ管侵襲像，肉眼的多結節性腫瘤ないし腫瘍細胞の多結節性分布，線維形成性反応を伴う侵入性浸潤像，原発性卵巣腫瘍のいずれの組織型にも合致しない組織像を呈する場合であるが，これらは転移性腫瘍を担保するものではなく，原発性腫瘍でもときに認める。印環細胞は転移性腫瘍を強く示唆する所見である。

　結腸・直腸をはじめとする他臓器（膵，胆道系，胃，子宮頸部，肺）の腺癌や低異型度虫垂粘液性腫瘍 low-grade appendiceal mucinous neoplasia（LAMN）の卵巣転移巣は，卵巣原発粘液性腫瘍に酷似する。特に，LAMNでは粘液性境界悪性腫瘍に類似する。腹膜偽粘液腫と卵巣の粘液性腫瘍の両者を認める場合，多くは，虫垂が原発巣である（**65頁**）。虫垂腫瘍は，肉眼的病変を認識できないことが珍しくなく，腹膜偽粘液腫では虫垂を摘出し，全割して標本を作製し確認する必要がある。なお，腹膜偽粘液腫は稀に，卵巣奇形腫から発生する粘液性腫瘍に起因する（**52頁，65頁**）。転移性粘液性腺癌は，腺腫や境界悪性腫瘍に類似した像を伴うことがあり，特に原発巣が膵・胆道系の場合は，これらの像が全体を占めることもある。奇形腫を伴わない両側性粘液性腫瘍，片側性でも小型（径10 cm以下）の粘液性腫瘍は，転移性である可能性が高い。ただし，片側性で大型の転移性腫瘍も少なからず存在する。粘液産生の少ない結腸癌は，類内膜癌との鑑別を要する。

　免疫組織化学が，卵巣原発腫瘍と転移性腫瘍の鑑別や，転移性腫瘍の原発巣の

推定に役立つことがある．SATB2 は大腸および虫垂腫瘍の卵巣転移では高頻度に陽性，卵巣原発粘液性癌では陰性である．ただし，奇形腫由来の粘液性腫瘍では SATB2 がしばしば陽性を示し，類内膜癌にも陽性例がある．結腸・直腸・虫垂原発の腫瘍の多くは CK7 陰性，CK20 陽性である．一方，卵巣原発粘液性腫瘍の多くが CK7 陽性であるが，CK20 陽性のこともある．奇形腫から発生した粘液性腫瘍では CK7 陰性かつ CK20 陽性である．CDX2 は結腸・直腸癌での感度が高いが，特異度は高いとは言えず，卵巣原発粘液性腫瘍でも高頻度に陽性を示す．膵，胆道系，胃，肺，子宮頸部を原発とする腺癌は CK7 陽性の頻度が高い．なお，PAX8 は漿液性癌，類内膜癌，明細胞癌では高頻度に陽性であるが，卵巣粘液性癌ではしばしば陰性を示す．

2 卵管腫瘍 Tubal tumors
I 上皮性腫瘍 Epithelial tumors
A. 漿液性腫瘍 Serous tumors
1. 漿液性腺線維腫 Serous adenofibroma

    卵巣の漿液性腺線維腫と同様の腫瘍である（24 頁）．
2. 漿液性境界悪性腫瘍 Serous borderline tumor

    卵巣の漿液性境界悪性腫瘍と同様の腫瘍である（24 頁）．
3. 漿液性卵管上皮内癌 Serous tubal intraepithelial carcinoma（STIC）

    （図譜 117, 118）

    概　要

    高異型度漿液性癌と同様の腫瘍細胞が，卵管の上皮を置換して増殖する非浸潤性漿液性癌である．卵巣・腹膜に認める高異型度漿液性癌の大部分は STIC を前駆病変とする．ほとんどが卵管采に局在し，肉眼的に認識できない病変であり，検出には SEE-FIM protocol ないしそれに準じた卵管の切り出しが必要である（検体の取扱い 8 頁～）．

    STIC は非浸潤癌であるものの，腹腔内へ広がるリスクを有し，約 4.5％は高異型度漿液性癌を続発する．このため，卵管・卵巣・腹膜に高異型度漿液性癌を認めず，STIC のみが認められる場合，ICCR では卵管癌ⅠA 期としており，本規約でもこれを採用した（ただし，日産婦 2014 にはこの点が記載されていない）．

    病理所見

    高異型度漿液性癌と同様の高度の異型を示す細胞が，卵管上皮を置換して増殖する．腫瘍細胞は線毛を欠き，N/C 比が高く，核の大小不同，核形不整，粗造なクロマチンの増加，明瞭な核小体を有し，極性の乱れを示す．核分裂もみられる．腫瘍細胞の重層化や小集塊状に浮遊する像もみられる．

    通常，STIC の診断に免疫組織化学は不要であるが，p53 の異常発現（びまん性強陽性，完全に陰性，細胞質のみ染色される）を認め，Ki-67 標識率は 10％以上である．Ki-67 標識率が 10％未満の場合や p53 の発現異常がみられない場合

は serous tubal intraepithelial lesion（STIL）とよばれる．稀に異型がみられないにもかかわらず p53 発現異常を示すことがあり，その場合は p53 signature とよばれる．STIL や p53 signature は STIC の前駆病変と考えられるが，治療に関するコンセンサスがなく，過剰治療を避けるという観点からも日常診療において診断名として使用するべきではない．

4. 高異型度漿液性癌 High-grade serous carcinoma（図譜 119）

概 要
卵管上皮への分化を示す高異型度の腫瘍細胞で構成される腺癌である．卵管癌の大部分を占める．

病理所見
肉眼的に認識できないものから，卵管采が不明瞭化するもの，卵管内腔に乳頭状ないし結節形成性に増殖し卵管が腫大するものまである．小型な腫瘍の検出には，SEE-FIM protocol ないしそれに準じた卵管の切り出しが必要である（検体の取扱い 8 頁～）．組織像の詳細については，卵巣の高異型度漿液性癌を参照のこと（26 頁）．

5. その他の上皮性腫瘍 Other epithelial tumors
卵管癌のうち 2 番めに多い組織型は類内膜癌であるが，高異型度漿液性癌に比してはるかに頻度が低い．類内膜癌の組織像は卵巣の類内膜癌と同様であるが，しばしば紡錘形腫瘍細胞や充実性胞巣を形成し，ウォルフ管腫瘍との鑑別を要する．その他，明細胞癌，粘液性癌，癌肉腫などが発生することがあるが，極めて稀である．卵管の粘液性癌は，子宮頸部や子宮内膜，卵巣の粘液性腫瘍と合併することがあり，特に Peutz-Jeghers 症候群との関連が知られている．

3 腹膜腫瘍 Peritoneal tumors
I 中皮腫瘍 Mesothelial tumors
A. アデノマトイド腫瘍 Adenomatoid tumor
子宮体部に発生するアデノマトイド腫瘍と同様の形態を示す良性腫瘍である．腹膜に発生することは稀である．

B. 高分化型乳頭状中皮性腫瘍 Well-differentiated papillary mesothelial tumor

概 要
中皮細胞から発生し，乳頭状外向性発育を特徴とする稀な良性腫瘍である．広い年齢に発生し，通常，偶発的に診断される．石綿暴露との関係は証明されておらず，発生機序は不明である．大多数の症例に *TRAF7* 変異を認める．*BAP1*, *NF2*, *CDKN2A*, *DDX3X*, *SETD2*, *ALK* の異常は認められない．

病理所見
境界明瞭な外向性腫瘍で，多くは 2 cm 未満かつ単発性であるが，多発するも

のもある。

　組織学的に，細胞異型に乏しい扁平ないし立方状の細胞が単層に配列し，管状，乳頭状あるいは管状乳頭状構築を示して増殖し，間質浸潤を欠く。核分裂はほとんどみられない。乳頭状構造は広い線維血管性間質を有し，しばしば粘液腫様変化や浮腫を示す。砂粒小体を伴うこともある。中皮腫の部分像が高分化型乳頭状中皮性腫瘍に類似することがあるため，診断は病変全体の観察が可能な組織で典型像を示すものに限るべきである。

　免疫組織化学で，中皮の形質を示す。PAX8 陽性例がある。BAP1 や MTAP の消失を認めない。

C. 中皮腫 Mesothelioma（図譜 120, 121）

概 要

　中皮細胞由来の腫瘍細胞が浸潤性に増殖する悪性腫瘍である。多くは腹部膨満や腹痛を主訴とするが，無症状で偶然発見されるものもある。腹膜中皮腫の中には，胸膜中皮腫に比して緩徐な経過をたどるものがある。女性の腹膜中皮腫は，石綿暴露との関連が証明できる症例が少ない。しばしば *BAP1* 変異や *CDKN2A*（*p16*）のホモ接合性欠失を示す。約 10％は *BAP1* 関連腫瘍感受性症候群の女性に発生する。

病理所見

　顆粒状，斑状，結節状，乳頭状と症例によって様々な肉眼像を呈する。

　組織学的に，上皮型，肉腫型，二相型に分類されるが，腹膜では上皮型がほとんどを占める。二相型中皮腫は，上皮型と肉腫型が混在し，少ない方の成分が 10％以上を占めるものを指す。上皮型中皮腫は，上皮様の腫瘍細胞が乳頭状，管状，充実性，索状構造形成性ないし孤細胞性浸潤，アデノマトイド構造と多彩な像を呈し，周囲組織に浸潤性に増殖する。複数の構造が混在することが多い。腫瘍細胞は多稜形，立方状，円柱状で，細胞質は好酸性で，しばしば細胞質内空胞を有する。核異型は軽度ないし中等度で核分裂が目立たないことが多い。腫瘍細胞の細胞質が豊富で脱落膜細胞に類似することもある。

　免疫組織化学的に，上皮型中皮腫は cytokeratin, calretinin, WT-1, D2-40 陽性かつ claudin 4 陰性であり，これらの所見で中皮への分化を確認できる。MOC-31, BerEP4, PAX8, ER, PgR は通常陰性であるが陽性例もある。中皮への分化を示す病変において，BAP1（核）や MTAP（細胞質）の発現消失を確認できれば中皮腫と診断できる。ただし，腹膜中皮腫は，胸膜中皮腫に比して BAP1 や MTAP の発現消失頻度が低い。また，中皮腫以外の悪性腫瘍でもしばしば BAP1 や MTAP の発現が消失する。

Ⅱ 腹膜に特有な間葉系腫瘍 Mesenchymal tumors specific to peritoneum

A. 平滑筋腫瘍 Smooth muscle tumors

1. 播種性腹膜平滑筋腫症 Leiomyomatosis peritonealis disseminata
   （びまん性腹膜平滑筋腫症 Diffuse peritoneal leiomyomatosis）

   概 要

   組織学的に良性の平滑筋で構成される結節が多発する稀な良性腹膜病変である。性成熟期に好発し，多くが妊娠中か経口避妊薬服用者にみられるが，エストロゲン産生卵巣腫瘍との関連も指摘されている。完全に切除されなかった場合，次回の妊娠中に再発しうる。悪性転化をきたした例が報告されている。

   病理所見

   腹膜や大網の表面に径1cm程度までの小結節が多数形成される。

   組織学的に，個々の小結節は異型に乏しい平滑筋細胞が束状を形成し錯綜して増殖し，富細胞性平滑筋腫と類似する。子宮内膜症，卵管内膜症や脱落膜変化を示す間質細胞の混在が認められることがある。

B. その他の腫瘍 Other tumors

1. 腹部線維腫症 Abdominal fibromatosis
   （デスモイド腫瘍 Desmoid tumor）

   概 要

   線維芽細胞・筋線維芽細胞が浸潤性に増殖する腫瘍で，局所再発を繰り返すが，遠隔転移をきたすことはない。成人に好発し，半数は疼痛を主訴とするが，無症状の例も珍しくない。妊娠時に診断されるものもある。腹壁，腸間膜が主な好発部位であるが，骨盤腔内にも発生する。家族性大腸腺腫症に合併することがある（Gardner症候群）。

   病理所見

   孤発性の硬い腫瘤を形成し，割面は白色で渦巻き模様を呈する。

   組織学的に，紡錘形ないし星芒状の細胞と膠原線維が長い束を形成して浸潤性に増殖する。細胞異型はみられないが，核分裂を散見することがある。浸潤先端にはリンパ球の集簇を認める。線維束の間に小血管が介在する。ときにケロイド様膠原線維や間質の硝子化がみられる。

   免疫組織化学的に，ほとんどの例でβ-cateninの核陽性像が認められ，α-SMA, desminも陽性である。

2. 消化管外間質腫瘍 Extragastrointestinal stromal tumor

   概 要

   消化管以外に発生し，消化管間質腫瘍と同様の形態と表現型を示す腫瘍である。腸間膜，大網，小骨盤腔などに好発する。消化管間質腫瘍の転移ないし原発巣から分離した腫瘍が含まれている可能性がある。大多数の症例に*KIT*また

は *PDGFRA* の変異を認める。

病理所見

孤発性または多発性の境界明瞭な充実性腫瘍を形成する。割面で変性による嚢胞様空隙，出血・壊死を認めることがある。

組織学的に，消化管間質腫瘍と同様の形態を呈する。腫瘍細胞は通常紡錘形であるが，上皮様を呈して，胞巣を形成することや，細胞質内空胞を有することがある。核分裂の増加，凝固壊死，浸潤性増殖は再発リスク因子である。

免疫組織化学的に，ほとんどの例がCD117（KIT），DOG1，CD34陽性で，CD117（KIT）陰性例ではPDGFRAが陽性である。

3. 孤立性線維性腫瘍 Solitary fibrous tumor

概 要

拡張した壁の薄い血管と線維芽細胞への分化を示す紡錘形細胞の増殖で構成される稀な腫瘍である。広い年齢に発生する。腹膜のほか，大網，腸間膜，後腹膜，腹壁に発生する。*NAB2-STAT6* の融合遺伝子を特徴とする。

病理所見

周囲との境界が明瞭な充実性腫瘍を形成する。

組織学的に紡錘形ないし卵円形細胞がケロイド様の膠原線維を伴い増殖する。腫瘍細胞の細胞質は好酸性で細胞境界は不明瞭である。「鹿の角 staghorn」と形容される不規則な分岐と拡張を示す壁の薄い血管が介在する。凝固壊死，核分裂の増加，核の多形性がみられる場合は，予後不良で悪性孤立性線維性腫瘍 malignant solitary fibrous tumor とよばれる。

免疫組織化学的に，STAT6の核陽性所見は *NAB2-STAT6* の融合遺伝子を反映し，診断に有用である。このほかCD34，Bcl-2，CD99が陽性である。

4. 線維形成性小型円形細胞腫瘍 Desmoplastic small round cell tumor

概 要

小型腫瘍細胞と間質の線維形成性反応よりなる悪性腫瘍で，*EWSR1-WT1* 融合遺伝子を特徴とする。起源は不明であるが，中皮由来の腫瘍との考えもある。稀な腫瘍で，小児から若年成人の男性に好発するが，腹痛，腹部腫瘤感，腹水，腸閉塞による症状を認めることが多く，女性では臨床的に卵巣腫瘍として捉えられることがある。しばしば大型腫瘍のほかに，卵巣表面や腹膜表面に大小の腫瘍が複数点在する。5年生存率は10〜15%と極めて予後不良である。

病理所見

充実性腫瘍を形成し，割面は白色充実性で，しばしば壊死を伴う。

上皮様腫瘍細胞が，結合性の高い大小の充実性胞巣，索状構造，管状構造，ロゼット様配列を示し浸潤性に増殖し，線維形成性間質を伴う。腫瘍細胞は小型，均一で，N/C比が高く，腫瘍細胞の細胞膜は不明瞭である。核クロマチンは増加し，核分裂が容易に確認される。偏在核と好酸性細胞質内封入体を有する細胞がみられることがある。間質にしばしば石灰沈着を伴う。

免疫組織化学的に，cytokeratin 陽性で，desmin で核周囲にドット状に染色される。WT-1 はカルボキシ末端に対する抗体にのみ陽性である。

5. その他

類内膜間質肉腫 endometrioid stromal sarcoma，石灰化線維性腫瘍 calcifying fibrous tumor や上衣腫 ependymoma などがあるが，いずれも稀である。

類内膜間質肉腫は，子宮に発生するものと同様の形態を示し，低悪性度と高悪性度の2つがある。腹膜や卵管の子宮内膜症を背景に発生するが，診断にあたっては，子宮体部，卵巣からの播種を除外する必要がある。石灰化線維性腫瘍は小児から若年成人に好発する。

III ミュラー管型上皮性腫瘍 Müllerian-type epithelial tumors

女性の腹膜には，頻度は低いものの卵巣と同様のミュラー管型腫瘍が発生する。その多くは子宮内膜症を基盤として発生する類内膜癌であるが，明細胞癌や癌肉腫の報告もある。過去に腹膜原発とされていた高異型度漿液性癌のほとんどは，現在では，卵管を起源として腹膜へ転移・進展したものであると考えられている（高異型度漿液性癌の原発巣 5頁，卵巣の高異型度漿液性癌 26頁，漿液性卵管上皮内癌 60頁）。後腹膜には粘液性腫瘍が発生する。

IV 転移性腫瘍 Metastatic tumors

A. 癌および肉腫 Carcinomas and sarcomas

腹膜に転移・播種する癌の原発巣として頻度が高いのは，卵巣，卵管，子宮，結腸・直腸，膵臓，胆道，胃などの腹部ないし後腹膜臓器である。乳腺，肺，肝，子宮頸部の癌が腹膜転移をきたすこともある。卵巣を原発とするものでは漿液性腫瘍が，子宮頸癌ではヒトパピローマウイルス human papillomavirus（HPV）非依存性胃型腺癌の腹膜転移が多い。癌は，腹膜表面に白色の小型結節を形成することが多い。

肉腫は小児における腹腔内を原発とするものの再発例が多く，転移巣は，結節形成性のほか，腹膜のびまん性肥厚を呈することがある。

B. 腹膜偽粘液腫 Pseudomyxoma peritonei (PMP) （図譜 122, 123）

概要

粘液産生が旺盛な腫瘍細胞の腹膜播種によって，腹腔内にゼリー状粘液が貯留ないし散布されている状態を指す臨床的な用語である。多くは低異型度虫垂粘液性腫瘍（LAMN）の腹膜播種で，卵巣に同様の腫瘍を認める場合は，卵巣も同腫瘍の直接浸潤や転移巣であることがほとんどである（59頁～）。稀に，卵巣奇形腫から発生する粘液性腫瘍に起因する（52頁）。

病理所見

PMP の組織学的典型像は，線維化を伴う粘液解離 dissecting mucin with fibrosis

であり，腹膜の間質を分け入るように大量の粘液が貯留し，それらが不規則に癒合して広がり，間質に線維化ないし硝子化がみられる．粘液を上皮性腫瘍細胞が取り囲む像や，粘液内に腫瘍細胞の断片が浮遊し，これらの間に腺管構造が介在することが多い．以上のほかに，腫瘍腺管の破綻により腹腔内に漏れ出た粘液性腹水 mucinous ascites，それが器質化した器質化を伴う粘液 organizing mucinous fluid，稀に高悪性度腺癌の腹膜播種もある．病理診断報告書には，上皮成分の有無，量，異型の程度を記載する．

C. 膠腫症 Gliomatosis （図譜 124）

　成熟した神経膠組織で構成される小結節が腹膜に多発する状態で，これ自体は良性病変である．多くは卵巣未熟奇形腫に合併するが，卵巣腫瘍を有さない女性にも認めることがある．従来は奇形腫の播種と考えられていたが，現在は，奇形腫に由来する液性因子によって腹膜に存在する幹細胞から発生する可能性や，間葉系細胞の膠細胞化生である可能性が指摘されている（卵巣未熟奇形腫 **46 頁**）．

7 図 譜

卵巣上皮性腫瘍

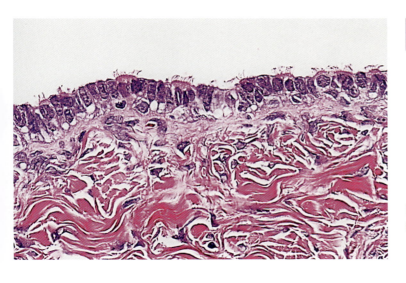

図譜1 漿液性嚢胞腺腫
嚢胞の内腔を，単層に配列する卵管上皮細胞に類似した円柱上皮細胞（線毛を有する細胞が混在）が被覆している。

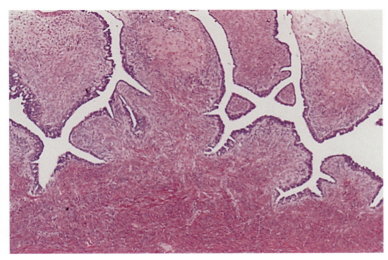

図譜2 漿液性嚢胞腺腫
円柱上皮細胞と上皮下の豊富な間質が嚢胞内腔に向かう隆起性病変を形成している。

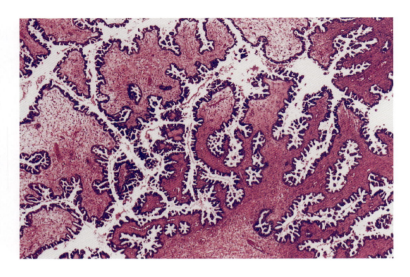

図譜 3　漿液性境界悪性腫瘍
階層型分枝 hierarchical branching（枝分かれして徐々に間質性の芯が狭細化する）を示す乳頭状構造を形成している。

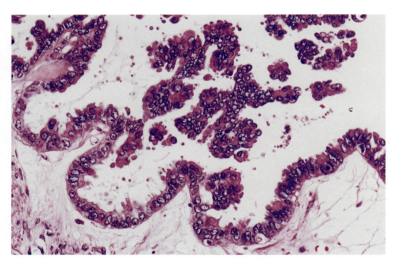

図譜 4　漿液性境界悪性腫瘍
（図譜 3 の拡大像）
腫瘍細胞は重積し，嚢胞内腔に細胞集塊が分離，浮遊している。

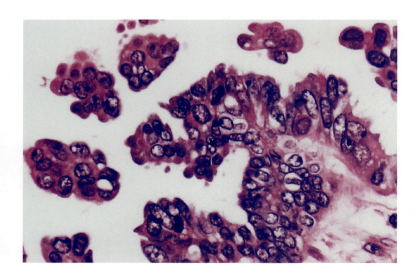

図譜 5　漿液性境界悪性腫瘍
（図譜 3 の拡大像）
腫瘍細胞の異型は軽度～中等度で，線毛を有する細胞が混在している。

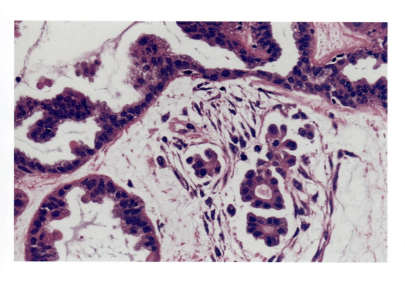

図譜6　微小浸潤を伴う漿液性境界悪性腫瘍
間質内に腫瘍細胞が小乳頭状集塊ないし孤細胞性に浸潤している（浸潤範囲は5mm未満）。浸潤する腫瘍細胞の異型は軽度〜中等度で，間質との間に裂隙が形成されている。

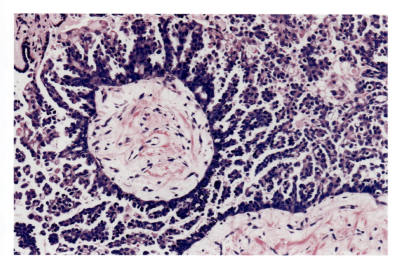

図譜7　微小乳頭状/篩状漿液性境界悪性腫瘍
階層型分枝を示さずに，太い線維血管性間質周囲に腫瘍細胞が細長い突起を形成している。

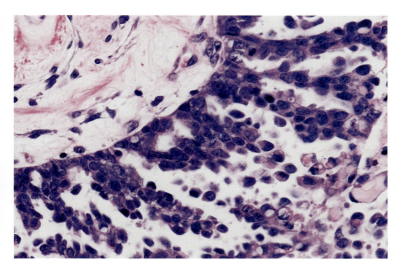

図譜8　微小乳頭状/篩状漿液性境界悪性腫瘍
（図譜7の拡大像）
腫瘍細胞が形成する突起部の長さは横径の5倍以上である。腫瘍細胞は核・細胞質（N/C）比が高く，線毛を有さず，核は類円形で均一であり，核分裂はほとんど認められない。

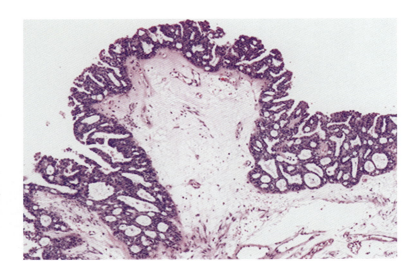

図譜 9 微小乳頭状/篩状漿液性境界悪性腫瘍
広い線維血管性間質周囲に腫瘍細胞が篩状構造を形成している。

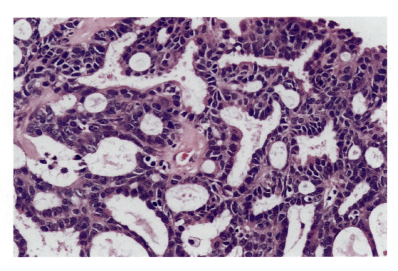

図譜 10 微小乳頭状/篩状漿液性境界悪性腫瘍
（図譜 9 の拡大像）
腫瘍細胞は N/C 比が高く，線毛を有さず，核は均一で，核分裂はほとんど認められない。

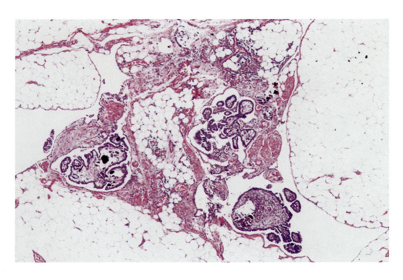

図譜 11 漿液性境界悪性腫瘍の腹膜インプラント（非浸潤性インプラント）
乳頭状構造を形成する腫瘍細胞が大網表面に付着している。腹膜脂肪組織の破壊像はみられない。

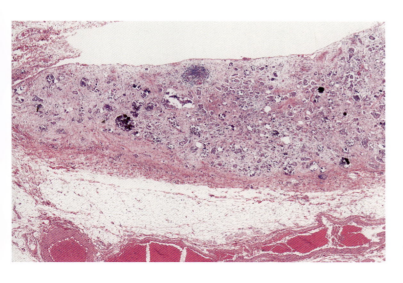

図譜12　漿液性境界悪性腫瘍の腹膜インプラント（非浸潤性インプラント）
腹膜表面に境界明瞭な板状の病変が形成されている。

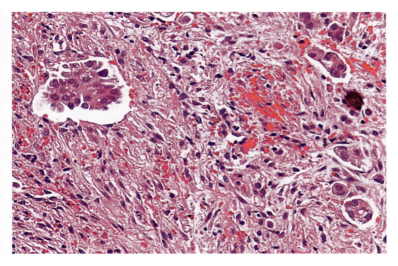

図譜13　漿液性境界悪性腫瘍の腹膜インプラント（非浸潤性インプラント）
（図譜12の拡大像）
肉芽組織を伴って，軽度ないし中等度の異型を示す腫瘍細胞が胞巣形成性ないし孤細胞性に増殖している。

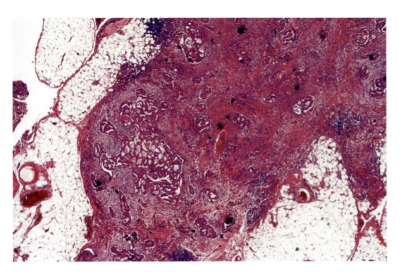

図譜14　卵巣漿液性境界悪性腫瘍に伴う腹膜低異型度漿液性癌（前版では浸潤性腹膜インプラントとよばれた病変）
間質反応を伴う腫瘍細胞の増殖によって，大網の脂肪組織が破壊されている。

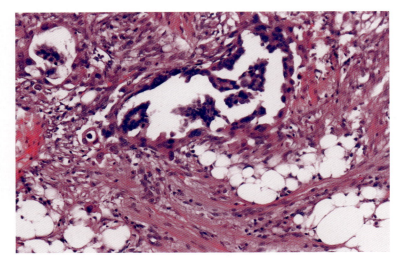

図譜 15 卵巣漿液性境界悪性腫瘍に伴う腹膜低異型度漿液性癌（前版では浸潤性腹膜インプラントとよばれた病変）
腹膜の脂肪組織を破壊して，腫瘍細胞が浸潤性に増殖し，間質の線維形成性反応を伴っている。

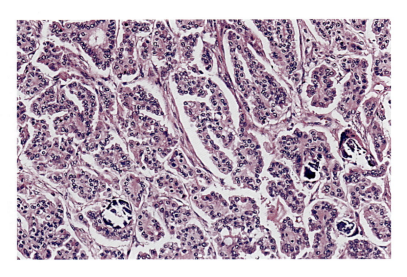

図譜 16 低異型度漿液性癌
腫瘍細胞が乳頭状構造を形成して間質内に浸潤性に増殖し，石灰化を伴っている。腫瘍細胞周囲には空隙が形成されている。

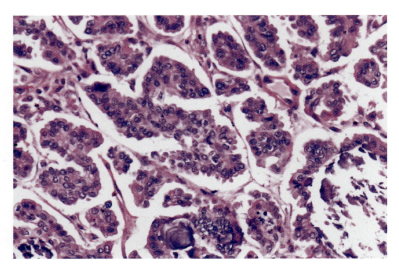

図譜 17 低異型度漿液性癌
腫瘍細胞は N/C 比が高く，線毛を有さず，核は均一で高度な異型はみられない。核分裂は稀に認めるに過ぎない。砂粒小体を含む石灰化を伴っている。

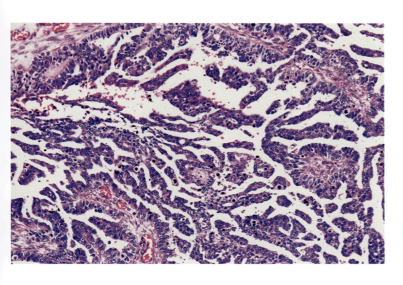

図譜 18　高異型度漿液性癌
腫瘍細胞が複雑な乳頭状構造ないし裂隙構造を形成している。

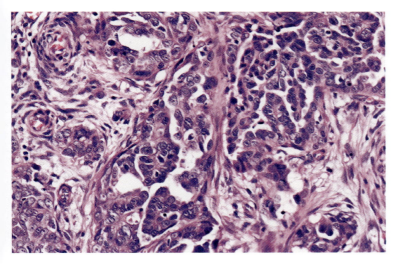

図譜 19　高異型度漿液性癌
腫瘍細胞が乳頭状，腺腔構造形成性ないし孤細胞性に浸潤性に増殖し，間質には線維形成性反応がみられる。

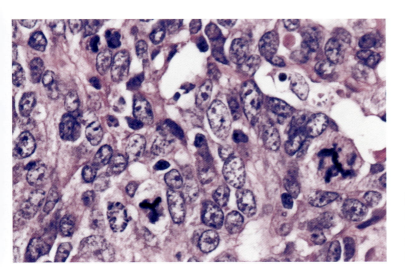

図譜 20　高異型度漿液性癌
腫瘍細胞は N/C 比が高く，核形不整や核の大小不同が高度で，クロマチンは不均一に分布し，明瞭な大型核小体を有する。異型核分裂像も認められる。

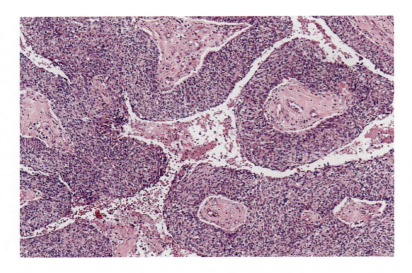

図譜 21　高異型度漿液性癌
腫瘍細胞が線維血管軸周囲に多層化して増殖する尿路（移行）上皮癌様構造を呈している。この構造は，充実性胞巣や偽類内膜構造（図譜 22）とともに SET（solid, endometrial-like, transitional）パターンとよばれ，相同組換え修復異常を有する腫瘍でしばしばみられる。

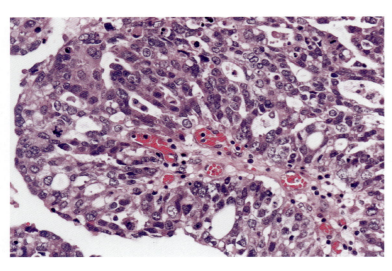

図譜 22　高異型度漿液性癌
内腔が平滑な腺腔や微小嚢胞が形成されている。

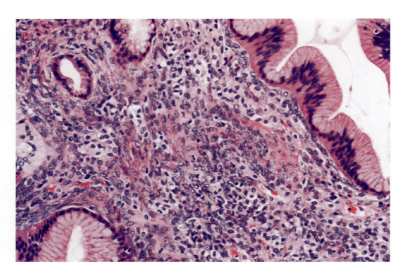

図譜 23　粘液性嚢胞腺腫
単層に配列する胃腺窩型細胞が嚢胞や腺管を形成している。間質には類円形の黄体化細胞がみられる。

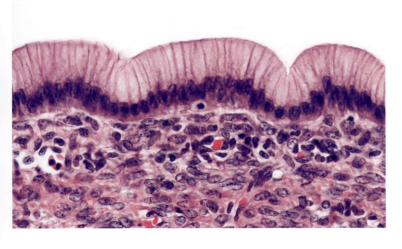

図譜 24　粘液性嚢胞腺腫
細胞質内粘液を有する胃腺窩型細胞の核は基底側に配列し，異型はごく軽度である。

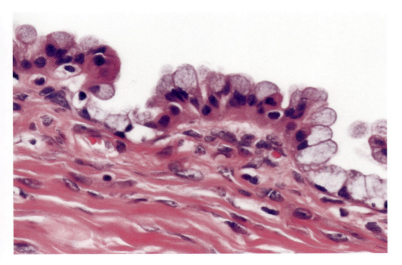

図譜 25　粘液性嚢胞腺腫（ミュラー管型）
子宮頸管腺上皮に類似した異型に乏しい円柱上皮が単層に配列して嚢胞壁を被覆している。腫瘍細胞の主体は淡青調細胞質内粘液を有する細胞で，好酸性細胞質と線毛を有する細胞が介在している。

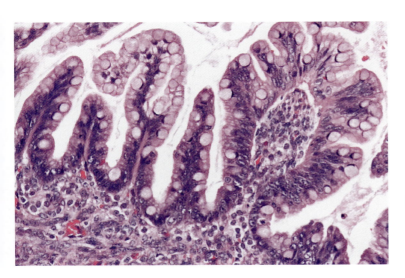

図譜 26　粘液性境界悪性腫瘍
細胞質内粘液を有する高円柱上皮が嚢胞内腔に乳頭状構造を形成している。腫瘍細胞は重層化し，杯細胞が目立つ。核異型は中等度である。

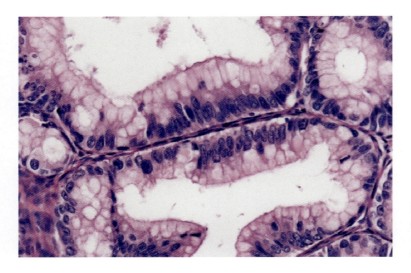

図譜27　粘液性境界悪性腫瘍
細胞質内粘液を有する胃・腸型細胞に被覆された腺管が密に増殖している。核は重積し，異型は軽度〜中等度である。

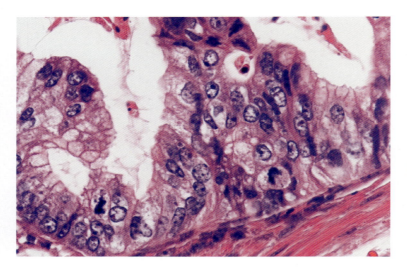

図譜28　上皮内癌を伴う粘液性境界悪性腫瘍
細胞質内粘液を有する胃・腸型細胞が重積している。浸潤像は認められない。腫瘍細胞には核形不整，核の大小不同，核小体の明瞭化がみられ，癌に相当する異型を示している。核分裂像もみられる。

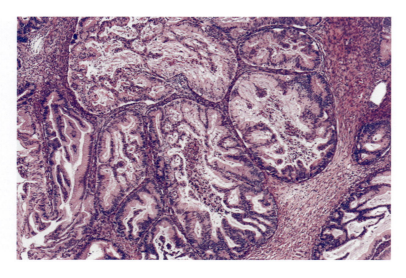

図譜29　粘液性癌（癒合/圧排性浸潤）
複雑な構造を示す腺管が，わずかな間質を伴って癒合/圧排性に浸潤性に増殖している。周囲との境界は明瞭である。

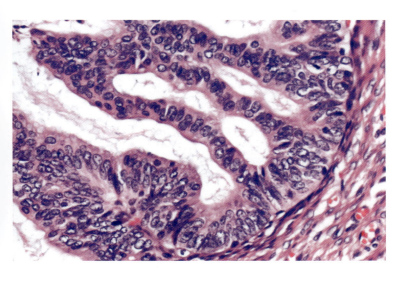

図譜30 粘液性癌（癒合/圧排性浸潤）
（図譜29の拡大像）
腫瘍細胞はN/C比が高く，核の大小不同，重積，クロマチンの増加が目立つ。

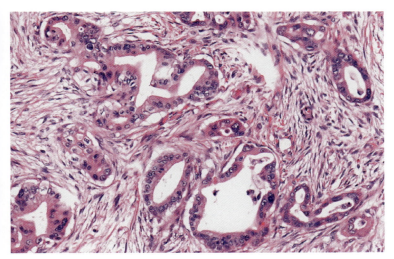

図譜31 粘液性癌（侵入性浸潤）
腫瘍細胞が方向性を失った不整な腺管や小胞巣を形成し，間質には線維形成性反応がみられる。

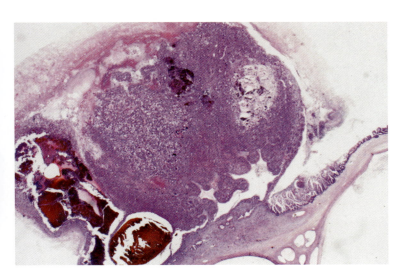

図譜32 壁在結節を伴う粘液性腫瘍
囊胞壁内に，境界明瞭で細胞密度の高い腫瘤が形成されている。

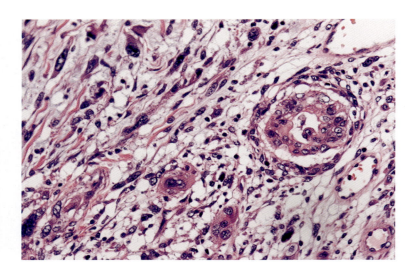

図譜 33　壁在結節を伴う粘液性腫瘍
（図譜 32 の結節部の拡大像）
粘液性癌と，紡錘形異型細胞で構成される肉腫成分が認められる。

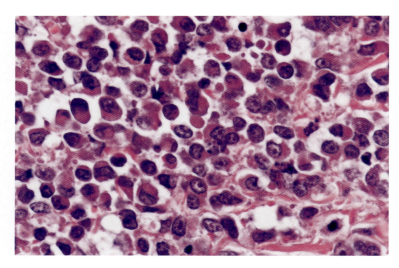

図譜 34　壁在結節（退形成癌）を伴う粘液性腫瘍
異型が高度で，接着性が乏しい腫瘍細胞が密に増殖している。

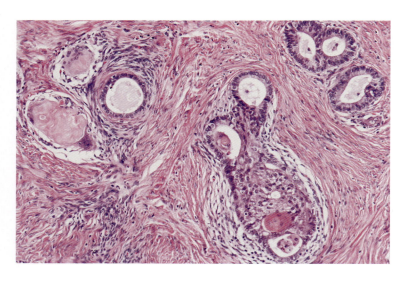

図譜 35　類内膜腺線維腫
広い線維腫様間質を伴って，大小の腺管が増殖している。扁平上皮への分化もみられる。

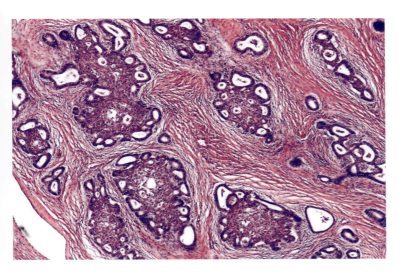

図譜 36　類内膜境界悪性腫瘍（腺線維腫型）
線維腫様間質内に，充実部を伴う大小の腺管が増殖している。図譜 35 に比して腺管の密度が高いが，浸潤性増殖はみられない。

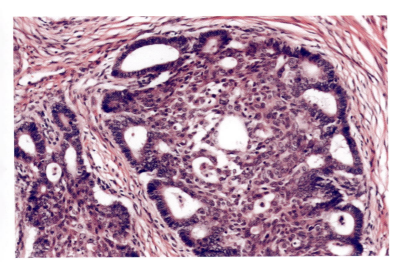

図譜 37　類内膜境界悪性腫瘍（腺線維腫型）
（図譜 36 の拡大像）
腫瘍胞巣は，子宮内膜腺類似の腺管と中心の桑実胚様細胞巣 morule で構成されている。

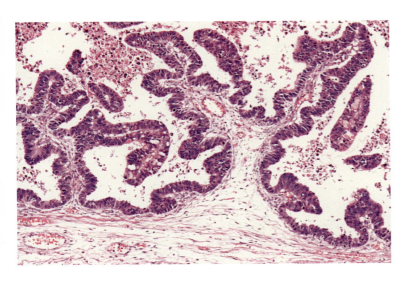

図譜 38　類内膜境界悪性腫瘍（嚢胞内型）
子宮内膜腺型細胞が嚢胞内腔に乳頭状構造を形成して増殖している。

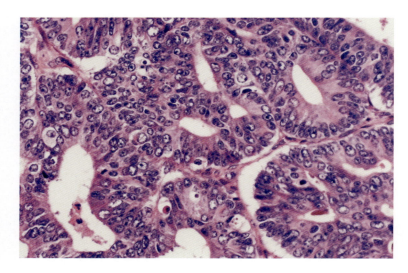

図譜 39　類内膜癌
子宮体部類内膜癌に類似した像を示している。腫瘍細胞は高円柱状で，核の腫大，大小不同，重積を示し，腺腔の内腔面は平滑である。

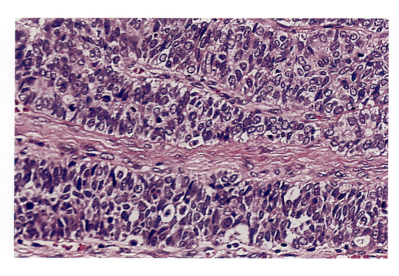

図譜 40　類内膜癌
腫瘍細胞が索状に配列し，性索間質性腫瘍を模倣している。

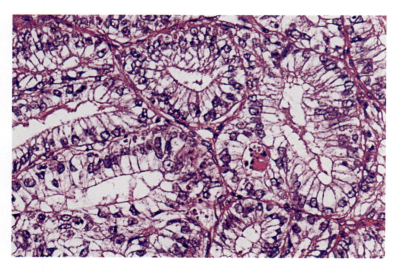

図譜 41　類内膜癌
腫瘍細胞は，核下・核上空胞を有する分泌期子宮内膜腺に類似している。

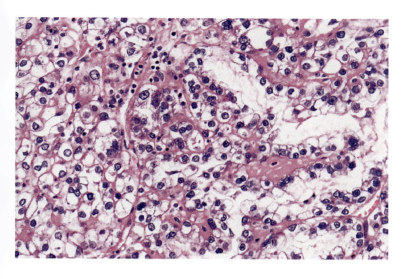

図譜 42　明細胞癌
淡明な細胞質を有する腫瘍細胞が，乳頭状構造ないし充実性胞巣を形成して増殖している。

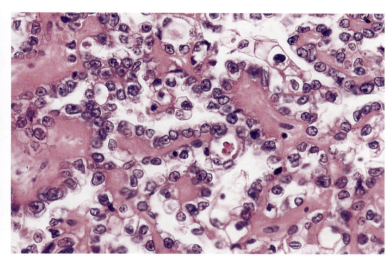

図譜 43　明細胞癌
腫瘍細胞は単層に配列し，細胞質は淡明で，核は大小不同を示している。間質には好酸性の基底膜様物質が沈着している。

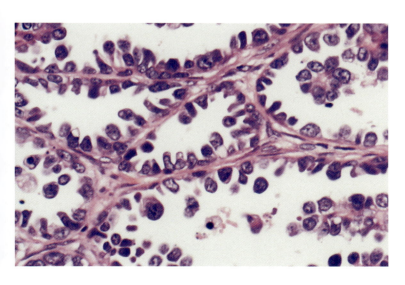

図譜 44　明細胞癌
N/C 比が高く核が内腔に突出した鋲釘細胞 hobnail cell に核の大小不同がみられる。

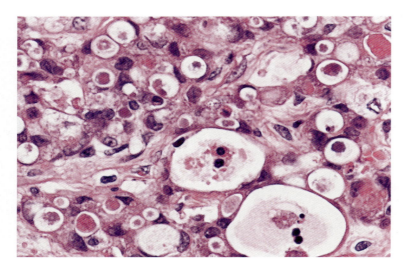

図譜 45　明細胞癌
腫瘍細胞が微小囊胞および腺管囊胞構造を形成している。微小囊胞腔内に円形の好酸性物を容れる像は，的様 targetoid ないし Bull's eye appearance と称される。印環細胞もみられる。

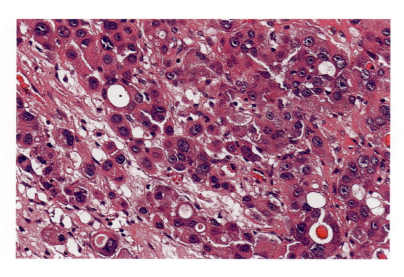

図譜 46　明細胞癌
好酸性顆粒状細胞質を有する腫瘍細胞が，充実性小胞巣ないし微小腺管を形成している。微小腺管内に円形の好酸性物を容れるものもある（右下）。印環細胞もみられる。

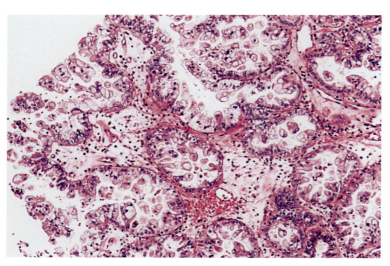

図譜 47　漿液粘液性境界悪性腫瘍
階層型分枝 hierarchical branching（枝分かれして徐々に間質性の芯が狭細化する）を示す乳頭状構造を形成し，構築は漿液性境界悪性腫瘍に類似している。間質は浮腫性で好中球浸潤がみられる。

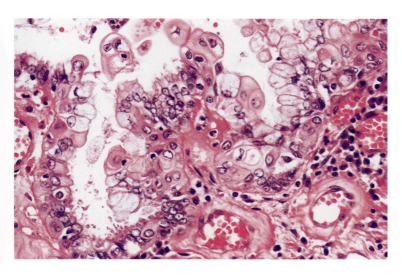

図譜 48　漿液粘液性境界悪性腫瘍
（図譜 47 の拡大像）
頸管腺細胞に類似した淡青調細胞質内粘液を有する円柱上皮細胞と好酸性細胞質をする円柱上皮が混在し，後者には線毛を有するものもある。核異型は軽度〜中等度である。

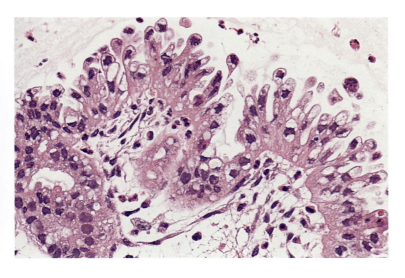

図譜 49　漿液粘液性境界悪性腫瘍
腫瘍細胞は重積し，核が内腔に突出した鋲釘細胞 hobnail cell や淡明な細胞質を有する細胞が混在する。核異型は中等度であり，細胞質内粘液を有する細胞が混在する。

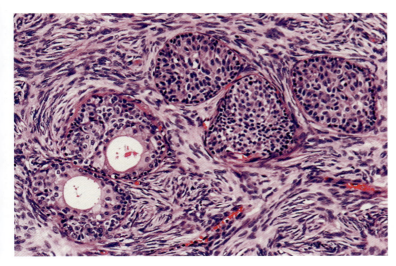

図譜 50　ブレンナー腫瘍
線維腫様の間質内に，充実性胞巣が増殖している。腺腔形成を伴う胞巣もみられる。

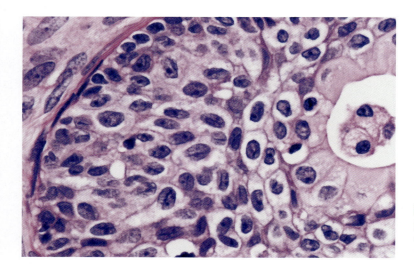

図譜 51　ブレンナー腫瘍
腫瘍細胞は尿路（移行）上皮細胞に類似し，核にはコーヒー豆様の縦溝がみられる。腺腔を形成する細胞は細胞質内粘液を有する。

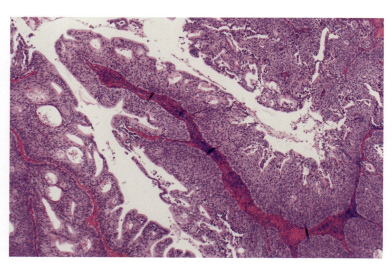

図譜 52　境界悪性ブレンナー腫瘍
多層化した腫瘍細胞が囊胞内腔に向かって乳頭状に増殖し，腺腔形成もみられる。間質浸潤は認められない。

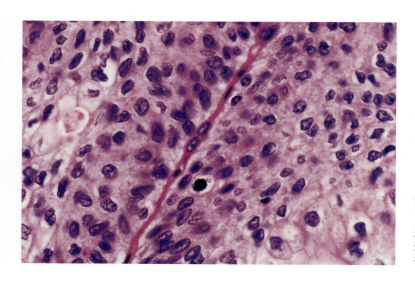

図譜 53　境界悪性ブレンナー腫瘍
（図譜 52 の拡大像）
腫瘍細胞は配列の乱れを示し，低異型度非浸潤性乳頭状尿路（移行）上皮癌に類似した中等度の異型を呈している。

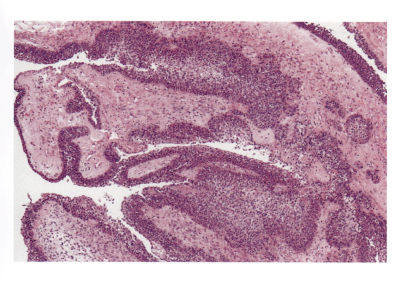

図譜 54　悪性ブレンナー腫瘍
多層化した腫瘍細胞が嚢胞内腔に向かって乳頭状に増殖する成分と連続して，間質に不規則な腫瘍胞巣が浸潤している。

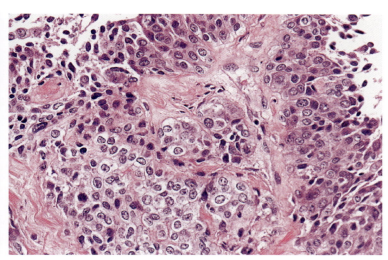

図譜 55　悪性ブレンナー腫瘍
多層化した異型細胞よりなる非浸潤性尿路上皮癌類似成分と連続して，より異型が高度な腫瘍細胞が不規則な胞巣を形成して間質に浸潤性に増殖している。

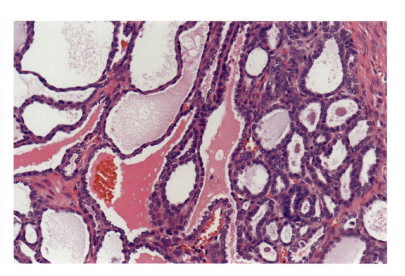

図譜 56　中腎様腺癌
低円柱状ないし扁平な細胞が大小の腺腔を形成して浸潤性に増殖している。腺腔内には好酸性物が散見される。腫瘍細胞は N/C 比が高いが，高度な異型は認められない。

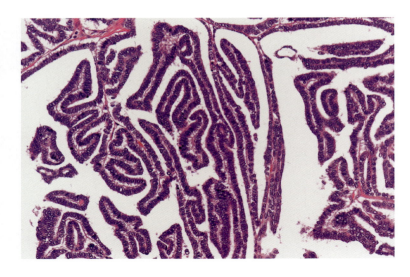

図譜 57　中腎様腺癌
円柱上皮が絨毛状，乳頭状，腺腔構造を形成して密に増殖している。腫瘍細胞に高度な核異型は認められない。

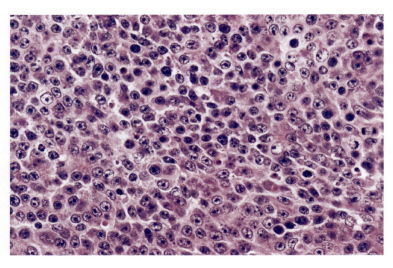

図譜 58　未分化癌
N/C 比が高く結合性が低下した異型細胞がびまん性かつ単調に増殖している。核は類円形水胞状で，明瞭な核小体を有し，核分裂もみられる。

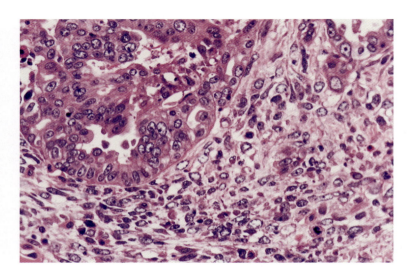

図譜 59　癌肉腫
高異型度腺癌と高異型度肉腫成分（紡錘形細胞や多稜形細胞）で構成されている。

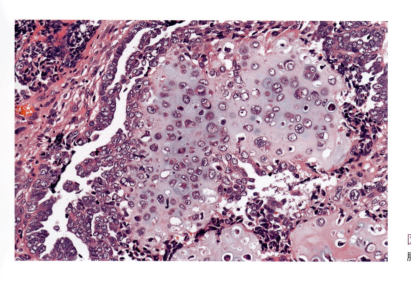

図譜 60　癌肉腫
腺癌と軟骨肉腫成分を認める。

卵巣混合型上皮性間葉系腫瘍

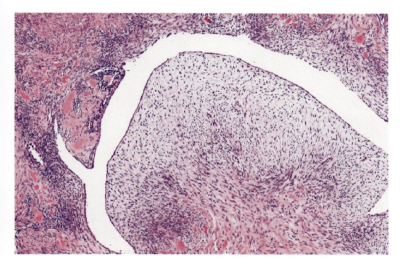

図譜 61　腺肉腫
腺管周囲の紡錘形細胞の増殖によって，拡張した腺管内にポリープ状突出が形成されている。

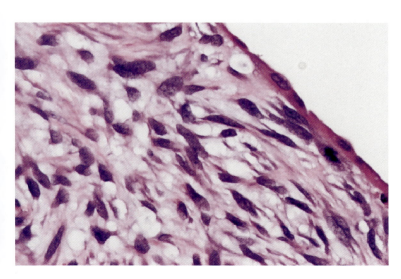

図譜 62　腺肉腫
（図譜 61 の拡大像）
腺管を被覆する上皮は扁平化し，核密度が低い。紡錘形細胞の異型は軽度であるが，核腫大を示すものが混在し，上皮直下に核分裂が認められる。

卵巣性索間質性腫瘍

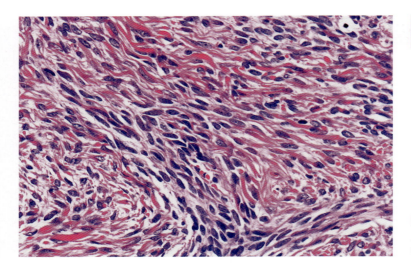

図譜 63　線維腫
異型に乏しい紡錘形細胞が束状に配列して増殖し，膠原線維が介在している。

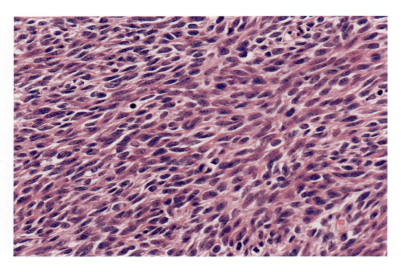

図譜 64　富細胞性線維腫
図譜 63 に比して腫瘍細胞の密度が高く，少数の核分裂を認めるが，核異型は軽度である。

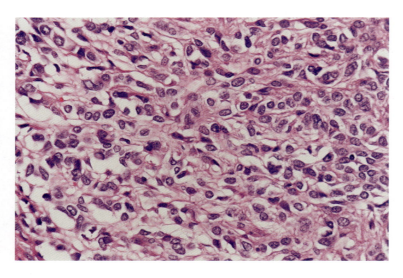

図譜 65　莢膜細胞腫
類円形の核と淡明な細胞質を有する腫瘍細胞が，線維芽細胞や膠原線維を伴って増殖している。

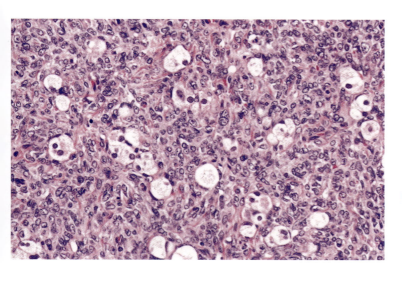

図譜66　硬化性腹膜炎を伴う黄体化莢膜細胞腫
軽度の大小不同を示す莢膜細胞と，孤在性ないし小胞巣を形成する黄体化細胞が混在している。

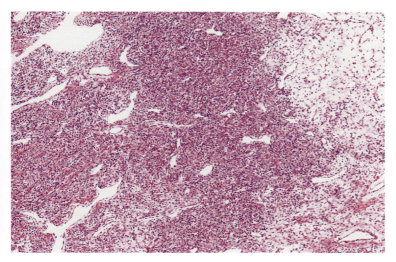

図譜67　硬化性間質性腫瘍
細胞密度の高い領域と低い領域によって偽分葉状構造を呈し，拡張した壁の薄い血管の増殖を伴っている。

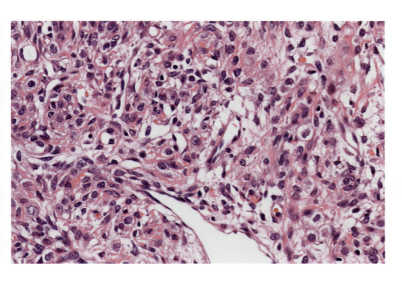

図譜68　硬化性間質性腫瘍
（図譜67の拡大像）
莢膜細胞に類似した細胞と紡錘形細胞が混在して増殖している。前者には細胞質が空胞化した円形細胞，空胞によって核が偏在する印環型細胞もみられる。

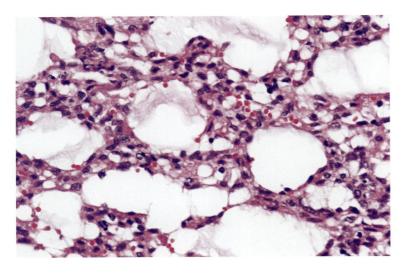

図譜 69　微小嚢胞間質性腫瘍
腫瘍細胞が小嚢胞様の空隙を形成している。腫瘍細胞の細胞質は好酸性顆粒状で，核は類円形である。

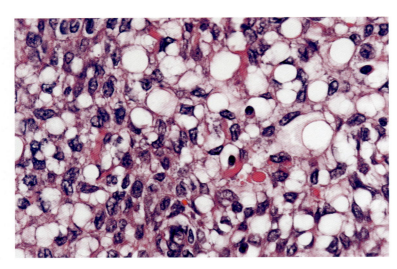

図譜 70　印環細胞間質性腫瘍
細胞質内空胞を有する間質細胞がびまん性に増殖している。

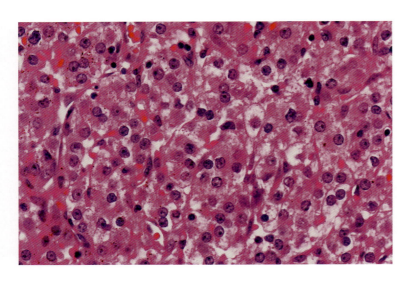

図譜 71　ステロイド細胞腫瘍
好酸性ないし泡沫様細胞質と類円形核を有する多稜形腫瘍細胞が，充実性小胞巣を形成して増殖し，豊富な毛細血管が介在している。

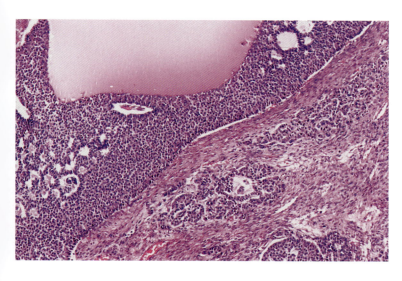

図譜 72　成人型顆粒膜細胞腫
腫瘍細胞が大小の濾胞ないし充実性胞巣を形成して増殖し，大濾胞は好酸性の無構造物を容れている。間質は線維性である。

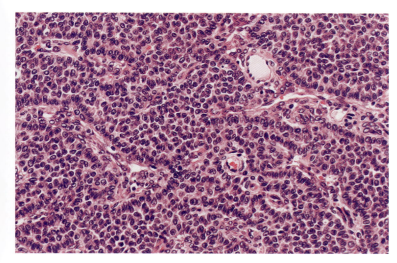

図譜 73　成人型顆粒膜細胞腫
腫瘍細胞が脳回様に配列している。

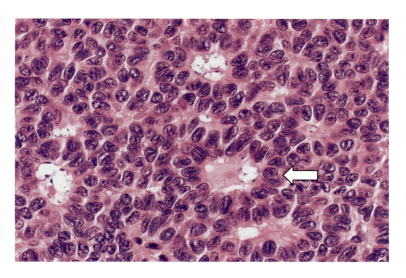

図譜 74　成人型顆粒膜細胞腫
腫瘍細胞が，Call-Exner body とよばれるロゼット様配列（微小濾胞）を形成している（矢印）。腫瘍細胞の N/C 比は高く，核はコーヒー豆様の縦溝を有している。

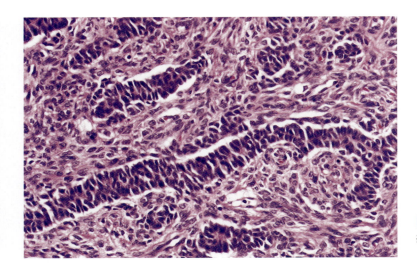

図譜 75 成人型顆粒膜細胞腫
線維性間質を伴って，顆粒膜細胞が索状配列を示している。

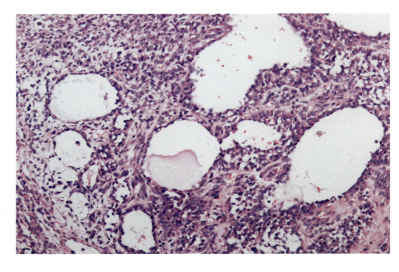

図譜 76 若年型顆粒膜細胞腫
腫瘍細胞が様々な大きさの充実性胞巣や濾胞構造を形成している。

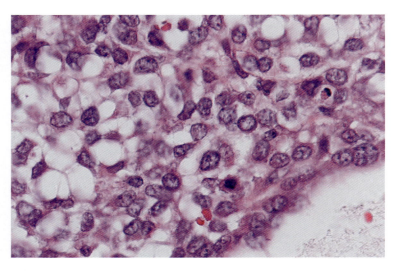

図譜 77 若年型顆粒膜細胞腫
（図譜 76 の拡大像）
腫瘍細胞は淡好酸性で豊富な細胞質を有し，核は類円形で縦溝はみられない。

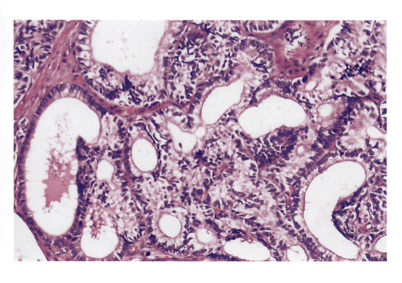

図譜 78　セルトリ細胞腫
高円柱状のセルトリ細胞が中空管あるいは中実管を形成している。

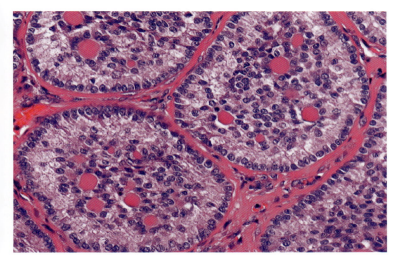

図譜 79　輪状細管を伴う性索腫瘍
硝子様物質を囲んで高円柱状腫瘍細胞が輪状に配列する輪状細管を形成して増殖している。

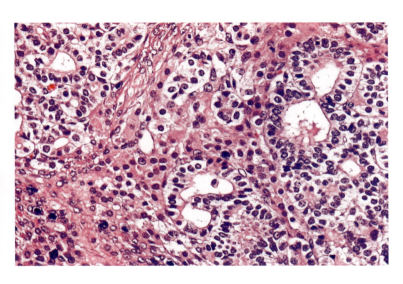

図譜 80　高分化型セルトリ・ライディッヒ細胞腫
中空管あるいは中実管を形成するセルトリ細胞と介在するライディッヒ細胞で構成されている。

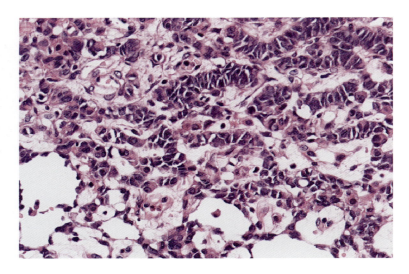

図譜81　中分化型セルトリ・ライディッヒ細胞腫
セルトリ細胞は索状ないし微小囊胞を形成し，好酸性細胞質を有するライディッヒ細胞が介在している。

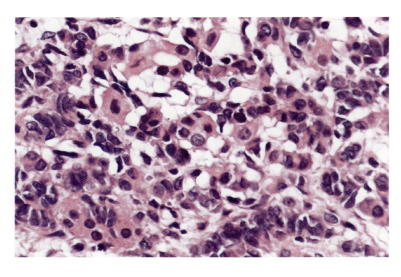

図譜82　中分化型セルトリ・ライディッヒ細胞腫
セルトリ細胞はN/C比が高く，核が歪である。ライディッヒ細胞は豊富な好酸性細胞質と類円形核を有している。

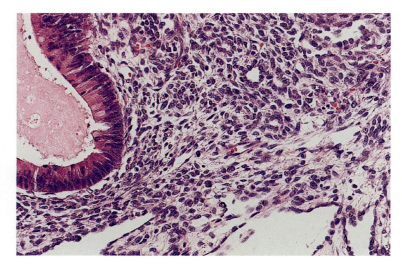

図譜83　異所性成分を伴う中分化型セルトリ・ライディッヒ細胞腫
未熟なセルトリ細胞が管状，囊胞構造形成性ないしびまん性に増殖し，細胞質内粘液を有する消化管型高円柱上皮細胞に被覆された腺管が併存している。

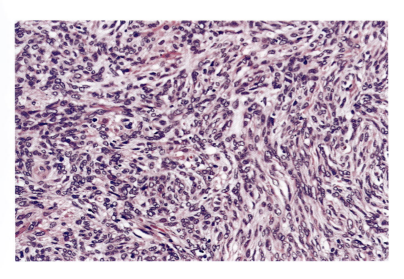

図譜 84　低分化型セルトリ・ライディッヒ細胞腫
紡錘形ないし類円形核を有する腫瘍細胞が錯綜し，肉腫様に増殖している。

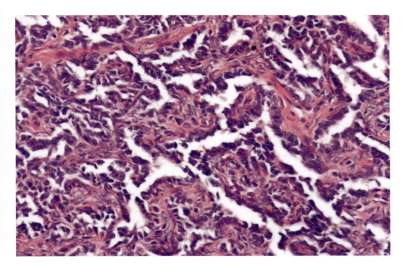

図譜 85　網状型セルトリ・ライディッヒ細胞腫
セルトリ細胞が精巣網の構造を模倣する配列を呈している。

卵巣胚細胞腫瘍

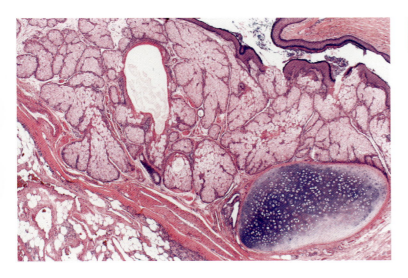

図譜 86　成熟奇形腫
嚢胞壁に，成熟した表皮（扁平上皮），皮脂腺や毛嚢などの皮膚付属器，軟骨，脂肪組織を認める。

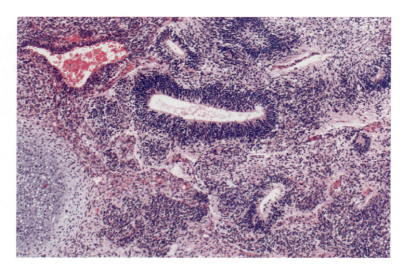

図譜 87　未熟奇形腫
未熟な神経成分が密に増殖している。近傍（左）には幼若な軟骨組織がみられる。

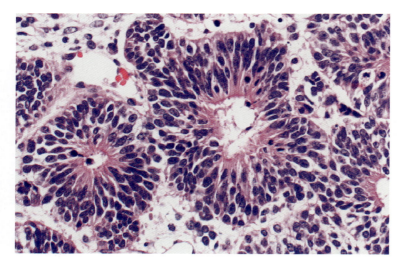

図譜 88　未熟奇形腫
（図譜 87 の拡大像）
未熟な神経上皮細胞が神経管様構造を形成している。

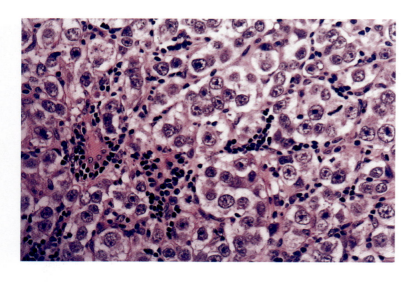

図譜 89　未分化胚細胞腫
腫瘍細胞が充実性胞巣を形成して増殖し，間質には小型リンパ球が浸潤している（two cell pattern）。腫瘍細胞は大型で細胞質は淡明であり，核は中心性，類円形で明瞭な核小体を有している。

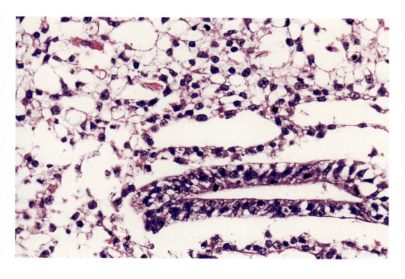

図譜 90　卵黄嚢腫瘍，微小囊胞・網状および腺管状
淡明な細胞質を有する立方形ないし扁平な腫瘍細胞が迷路様構造や微小囊胞を形成している。右下には，分泌期子宮内膜腺に類似した腺管を認める。

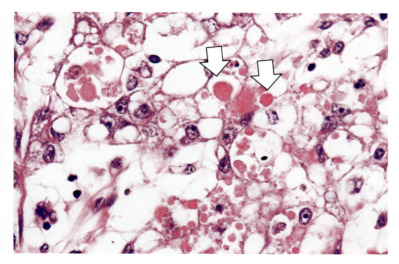

図譜 91　卵黄嚢腫瘍，微小囊胞状および好酸性硝子小体
淡明な細胞質を有する腫瘍細胞が微小囊胞を形成している。好酸性硝子小体 eosinophilic hyaline globule を伴っている。

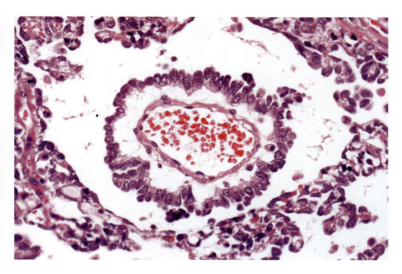

図譜 92　卵黄嚢腫瘍，Schiller-Duval body
血管軸の周囲に円柱状ないし立方状の腫瘍細胞，その外側の空隙を介して扁平な腫瘍細胞が取り囲む構造である。

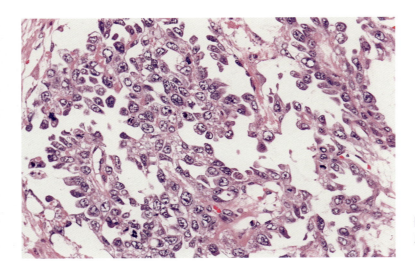

図譜93　卵黄嚢腫瘍，乳頭状
腫瘍細胞が乳頭状ないし迷路様構造を呈している。

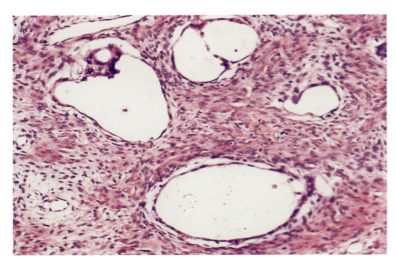

図譜94　卵黄嚢腫瘍，多小胞状卵黄嚢
扁平あるいは立方状の腫瘍細胞が囊胞を形成している。間質は線維性で，一部に浮腫を認める。

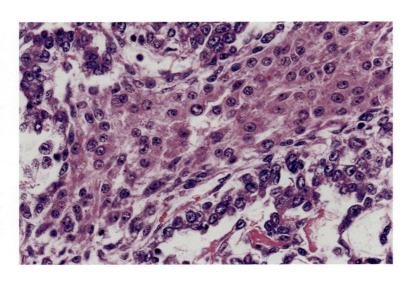

図譜95　卵黄嚢腫瘍，肝様および嚢胞状
好酸性細胞質を有する肝細胞類似の腫瘍細胞がシート状に増殖している。周囲には，低円柱状ないし扁平な細胞が小型囊胞を形成している。

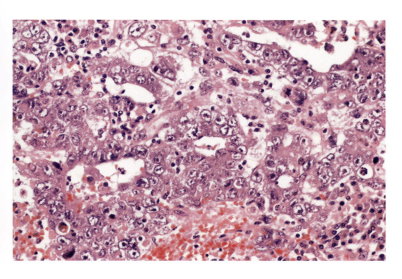

図譜 96 胎芽性癌
高度の異型を呈する大型上皮細胞が腺腔ないし充実性胞巣構造を形成している。

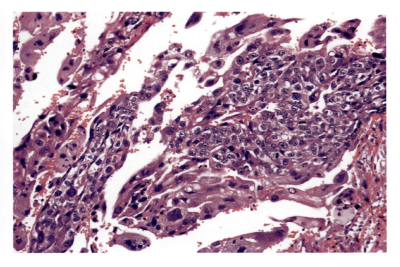

図譜 97 非妊娠性絨毛癌
腫瘍細胞は，単核の細胞性栄養膜細胞，中間型栄養膜細胞，多核の合胞体栄養膜細胞で構成され，いずれも高度の細胞異型を示している。

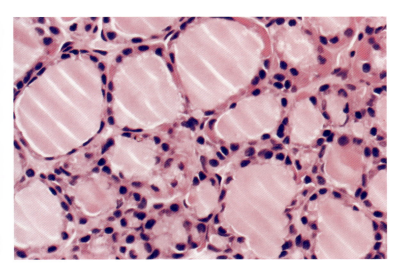

図譜 98 卵巣甲状腺腫
内腔にコロイドを容れた大小の甲状腺濾胞が増殖している。

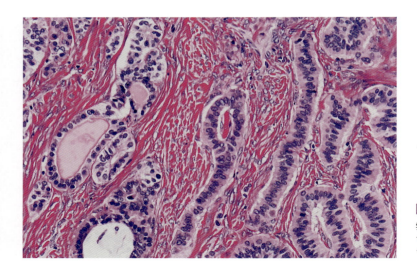

図譜99　甲状腺腫性カルチノイド
索状に配列するカルチノイド（均一な核を有する円柱状細胞）が甲状腺濾胞と移行を示している。

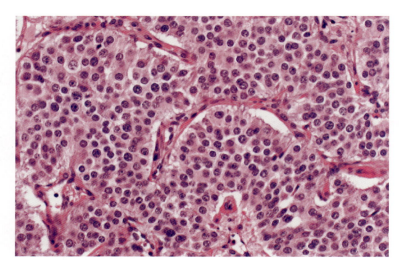

図譜100　カルチノイド，島状
均一な小型円形核を有する腫瘍細胞が島状に増殖している。

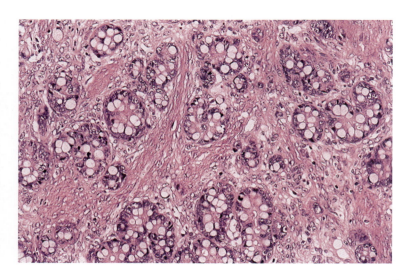

図譜101　粘液性カルチノイド
杯細胞型腫瘍細胞が小型胞巣を形成している。印環細胞もみられ，転移性腫瘍との鑑別を要する。

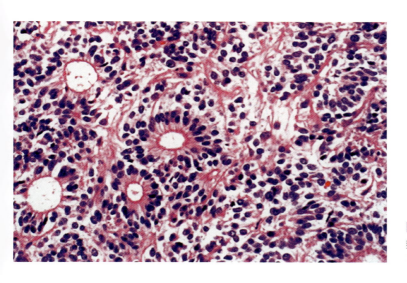

図譜 102 神経外胚葉性腫瘍，上衣腫
類円形核を有する細胞ないし短紡錘形細胞がロゼット様に配列している。

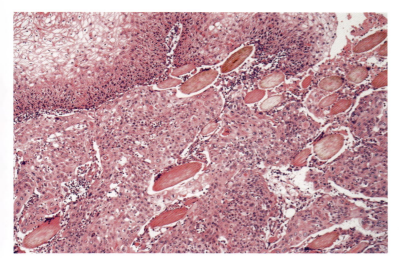

図譜 103 扁平上皮癌を伴う成熟奇形腫
扁平上皮癌内に毛髪が認められ，背景に成熟奇形腫が存在していたと考えられる。

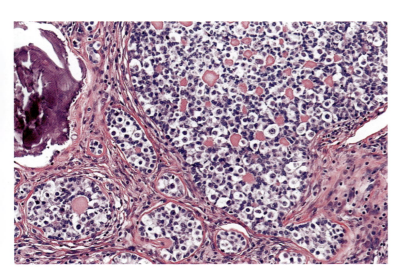

図譜 104 性腺芽腫
線維性間質内に，大小の腫瘍胞巣と石灰化物（左）を認める。

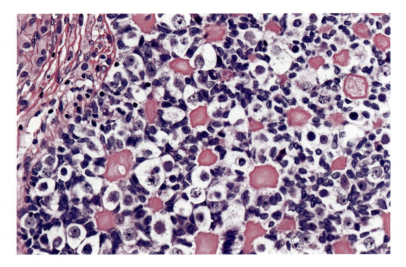

図譜 105　性腺芽腫
(図譜 104 の拡大像)
好酸性球状物を取り囲んで，大型で未熟な胚細胞と小型で N/C 比が高い性索細胞が配列している。

その他の卵巣腫瘍

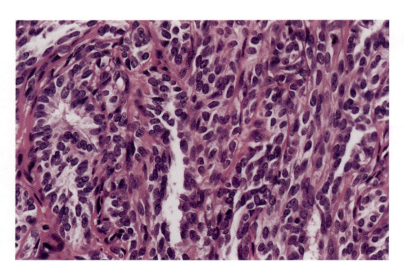

図譜 106　ウォルフ管腫瘍
円柱状の腫瘍細胞が管状ないし充実性胞巣構造を形成している。核異型は軽度である。

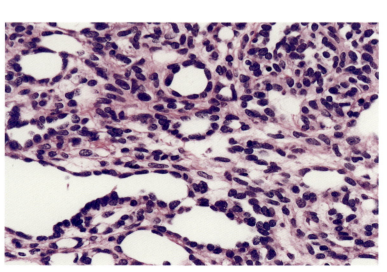

図譜 107　ウォルフ管腫瘍
N/C 比の高い立方状細胞が管状ないし索状構造を形成している。核異型は軽度である。

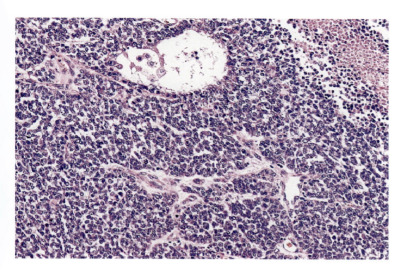

図譜108 小細胞癌,高カルシウム血症型
腫瘍細胞がびまん性,充実性胞巣形成性に密に増殖し,一部に濾胞が形成されている。壊死もみられる(右上)。

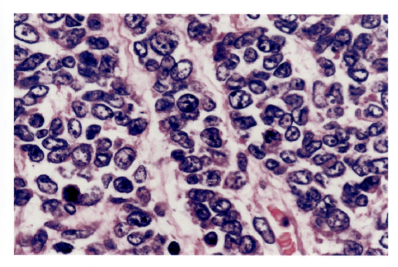

図譜109 小細胞癌,高カルシウム血症型
(図譜108の拡大像)
腫瘍細胞はN/C比が極めて高く,核は類円形で,クロマチンが増加し,小型核小体を有し,核分裂も認められる。

子宮内膜症性囊胞

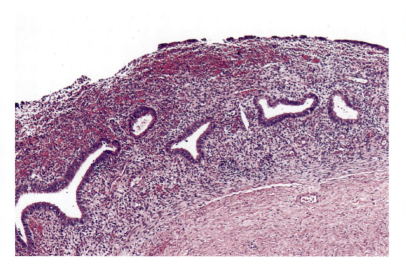

図譜110 子宮内膜症性囊胞
囊胞壁は単層に配列する円柱上皮に被覆され,その直下に内膜腺と出血を伴う内膜間質を認める。

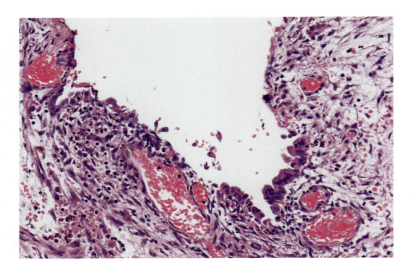

図譜 111　子宮内膜症性囊胞
囊胞壁を被覆する子宮内膜腺型上皮細胞の多くは剥脱している。上皮直下の内膜間質細胞の量は少ないが，よく発達した血管が診断のヒントになる。

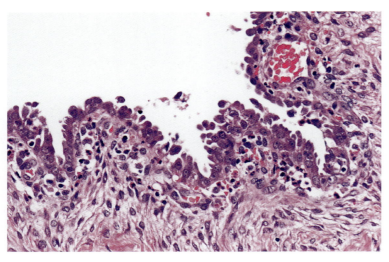

図譜 112　子宮内膜症性囊胞
囊胞壁を被覆する円柱上皮は反応性に増殖し，軽度の核異型もみられる。上皮層内および上皮下には炎症細胞が浸潤している。注意深く観察すると，ごく少量の内膜間質細胞が確認できる。

卵巣の転移性腫瘍

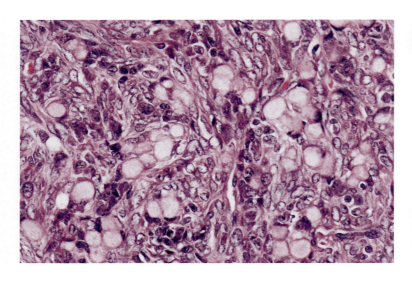

図譜 113　転移性腫瘍（クルケンベルグ腫瘍），胃癌の転移
間質の線維性増殖を伴い，印環細胞癌が浸潤している。

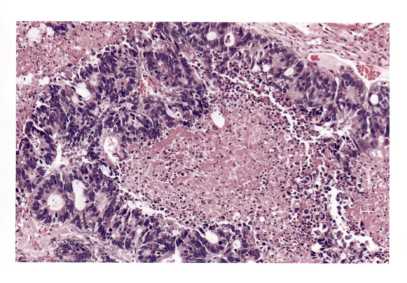

図譜114　転移性腫瘍，大腸癌の転移
壊死を取り囲み癒合腺管が増殖している。

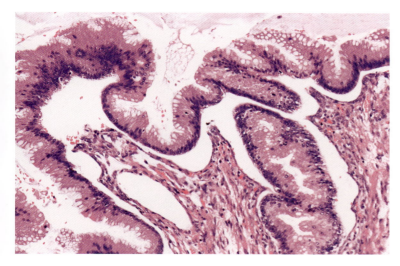

図譜115　転移性腫瘍，虫垂低異型度粘液性腫瘍の転移
細胞質内粘液を有する高円柱上皮細胞の異型は軽度ないし中等度で，粘液性境界悪性腫瘍に類似している。腫瘍細胞は間質の方向に突出するように配列し，上皮直下には裂隙が形成されている。

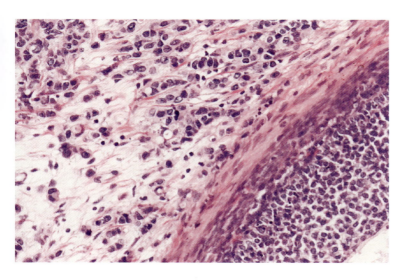

図譜116　転移性腫瘍，乳癌（乳管癌）の転移
腫瘍細胞が索状構造形成性ないし孤細胞性に浸潤性に増殖している。近傍（右下）には構造が保持された卵胞を認める。

卵管癌

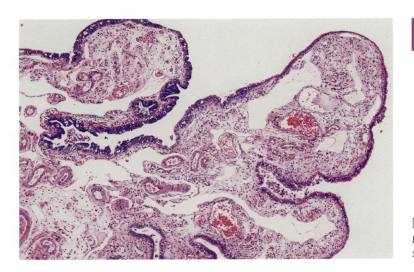

図譜 117　漿液性卵管上皮内癌（STIC）
卵管采を被覆する上皮を置換して腫瘍細胞が増殖している。

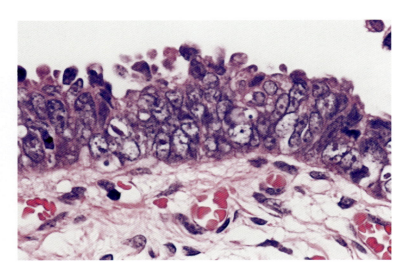

図譜 118　漿液性卵管上皮内癌（STIC）
（図譜 117 の拡大像）
卵管上皮を置換する腫瘍細胞は，高度の異型，重積，極性の乱れを示し，核分裂もみられる。

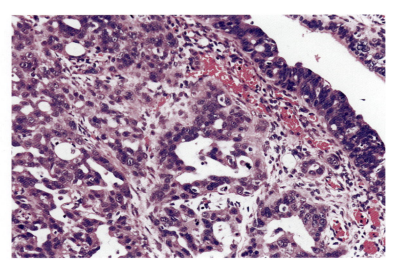

図譜 119　卵管高異型度漿液性癌
高度の異型を示す腫瘍細胞が腺腔を形成して間質に浸潤性に増殖している。その近傍には，同様の腫瘍細胞が卵管上皮を置換して増殖する漿液性卵管上皮内癌（STIC）を認める。

腹膜の腫瘍・類腫瘍病変

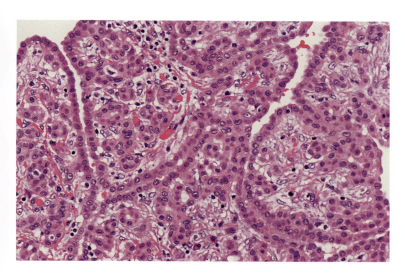

図譜 120　中皮腫
円柱状腫瘍細胞が乳頭状，管状，小型充実性胞巣を形成して浸潤性に増殖している。

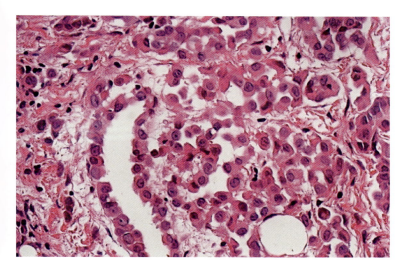

図譜 121　中皮腫
腫瘍細胞の細胞質は好酸性，核は類円形で概ね均一であり，核分裂は目立たない。

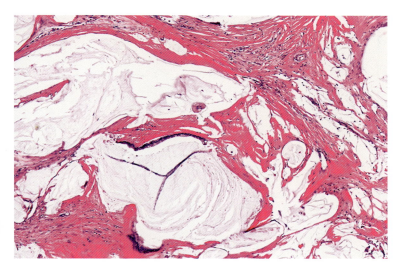

図譜 122　低異型度虫垂粘液性腫瘍による腹膜偽粘液腫
腹膜の間質を分け入るように大量の粘液が貯留し，それらが不規則に癒合している。周囲には断片化した上皮性腫瘍細胞を認める。

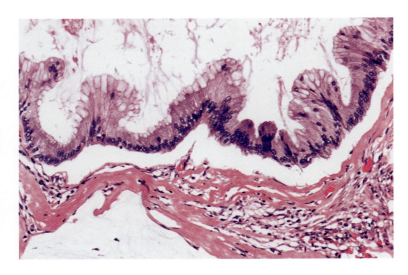

図譜 123　低異型度虫垂粘液性腫瘍による腹膜偽粘液腫
（図譜 122 の拡大像）
腫瘍細胞は高円柱状で細胞質内粘液を有し，核異型は軽度ないし中等度である。間質には硝子化を認める。

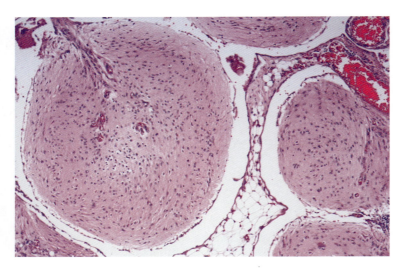

図譜 124　腹膜神経膠腫症
腹膜に多結節性に成熟神経膠組織を認める。

8 これまでの既刊の序

卵巣腫瘍取扱い規約

第1部 第1版 序

　昭和35年,日本産科婦人科学会に卵巣腫瘍委員会（委員長 樋口一成 慈恵医大教授）が設立されて以来,産科婦人科領域では日産婦学会卵巣腫瘍登録委員会分類が広く使用されてきた。
　この分類は,卵巣腫瘍の研究をライフワークとした樋口教授が臨床病理学的立場から確立された分類である。すなわち,開腹時の腫瘍形態が予後と相関することから,とくに腫瘍割面の所見を重視し,"囊胞性"と"充実性"に2別した。後者には囊胞部と充実部が混在する半充実性が含まれているが,"囊胞性"の腫瘍が良性経過を示すのに対し,"充実性"の腫瘍の約85％は悪性経過や良・悪性いずれかの経過（中間群腫瘍）を示し,一部が良性経過を示すに過ぎない。したがって,委員会分類は実地医家にとって,術時に腫瘍の良・悪性鑑別がある程度可能であることから,便利であり,その役割を果してきた。
　また,周知のように,卵巣には多種多様の腫瘍が発生することから,委員会では難解・難問例を解決するため,過去25年間にわたり毎年症例検討会を開催し,腫瘍登録の便宜をはかってきた。全国各地より30〜40例の興味ある標本が提供され,産科婦人科ならびに病理の若い医学徒が熱心に討議し,成果をあげてきた。
　しかしながら,腫瘍形態学の進歩に伴い委員会分類では適応する項目がなく,分類不能と判定される腫瘍が多くなり,分類の改訂が強く望まれるようになった。一方,国際的にはWHO分類をはじめとし,組織発生に基づく分類が主流をなし,同じ腫瘍でありながら腫瘍名が異なるなど,細部にわたって統一はされなかったが,機会あるごとに検討され,改訂されて広く用いられるようになった。したがって,委員会分類とは発想が異なるため,腫瘍登録など臨床統計上,互換性を欠くというような不便も生じてきた。
　さらに,臨床面ではCisplatinの登場以来,画期的な奏効率により,とくに上皮性ならびに胚細胞悪性腫瘍の治療成績向上が期待されているが,全国的な規模の成績はきわめて少なく,なお一層新しい組織分類の確立が望まれるようになった。
　昭和62年4月,不肖私が日本産科婦人科学会理事会で卵巣腫瘍登録委員会委員長を命ぜられて以来,新しい組織分類について検討することを理事会で承認を得て,委員会内に組織分類の検討を含めた卵巣腫瘍取扱い規約の小委員会を設置した。委員長には近畿大 野田起一郎 教

授にお願いするとともに，とくに組織分類に関しては，日本病理学会の協力を得なければならないため，日産婦学会長名で当時の日本病理学会総務幹事 森 亘先生に委員の推薦を依頼した．次項のような5名の委員の推薦と，国際婦人科病理学会の関係から笹野伸昭先生にも特別委員として参加いただいた．それ以来約2年間，婦人科系委員7名と幹事が加わり，野田委員長のもと精力的に会議を重ね，新しい組織分類の基本方針として"委員会分類とも互換性を有し，国際分類にも適応する"ことで認識が一致し，検討された．今日ようやくその努力が実り，わが国独自の立場から，カラー写真166枚挿入の日本産科婦人科学会，日本病理学会編『卵巣腫瘍取扱い規約 第1部 組織分類ならびにカラーアトラス』ができあがった．

　ここに，野田委員長はじめ各委員，笹野特別委員に厚く御礼申し上げる．とくに細部にわたり，検討，校正していただいた並木恒夫委員，さらに，カラーアトラス作製にご協力いただいた手島伸一委員，国立がんセンター・フォトセンター大坂俊治氏に深甚の謝意を表する．また，新しい感覚の本書が上梓できたのも，金原出版編集部の高山静氏，内山良一氏の協力の賜物であり，同時に深い感謝の念を捧げる．なお『卵巣腫瘍取扱い規約 第2部 臨床的事項ならびに登録』についても早急に検討し，上梓したい．

　本書が新しい卵巣腫瘍の組織分類として国際的にも適用するとともに，腫瘍の登録や治療成績向上に大いに役立つことを念願してやまない．

平成2年7月

日本産科婦人科学会　卵巣腫瘍登録委員会

委員長　寺島　芳輝

日本産科婦人科学会卵巣腫瘍登録委員会
委員長　　　　寺島芳輝

卵巣腫瘍取扱い規約委員会
委員長	野田起一郎				
婦人科系委員	半藤　保	泉　陸一	小川重男	落合和徳	薬師寺道明
	矢嶋　聰	山邊　徹			
病理系委員	藍沢茂雄	森脇昭介	中島伸夫	並木恒夫*	手島伸一
特別委員	笹野伸昭				
幹　事	佐々木寛	木村英三			

（ABC順，*は病理系責任者）

卵巣腫瘍取扱い規約

第1部 第2版 序

　日本産科婦人科学会と日本病理学会による『卵巣腫瘍取扱い規約－組織分類ならびにカラーアトラス』2009年改訂第2版をここに上梓する。

　本規約の初版が出版されたのは1990年7月である．当時，卵巣腫瘍の組織分類として，わが国独自の日産婦分類とWHO分類の両者が長年にわたって用いられていたのであるが，いよいよ国際的な分類に統一すべき機運が盛り上がっていた．そして，1987年から，日本産科婦人科学会卵巣腫瘍登録委員会の寺島芳輝委員長を中心に，卵巣腫瘍取扱い規約の作成が推し進められた．取扱い規約委員会の野田起一郎委員長の下で作成委員会が組織され，婦人科系および病理系各委員の努力の末，とりわけ手島伸一委員により素晴らしいカラー図譜が提供され，初版が刊行されるに至ったのである．以来，わが国における卵巣腫瘍組織分類が世界にストレートに通ずるものとなった．この間，産婦人科医も病理医もこの初版をわが国で最も信頼できるスタンダードとして，日々の病理診断や患者さんの診療に活用してきたのであり，初版の果たした役割はまことに大であったといえる．

　しかしながら，初版刊行後十数年を経て，この間，卵巣腫瘍の病理学および臨床医学には大きな進歩がみられ，新しい知見が数多く蓄積されてきた．WHO分類も2003年に改訂版が出版され，わが国でも卵巣がんの治療ガイドラインが出版される時代となった．このような時代背景の下，より適切で木目細かな卵巣腫瘍の診断と治療のために取扱い規約を改訂する必要性が出てきた．そこで，日本産科婦人科学会理事会の議を経て，同婦人科腫瘍委員会のなかに取扱い規約改訂委員会が設置され，日本病理学会からも委員が選任され，平成19年度から改訂作業が開始された．

　初めに臨床系・病理系合同委員会において改訂の方針が議論され，その結果，次のことが確認された：
 1. 図譜をより充実したものとし，初学者にもわかりやすい説明をつける
 2. 組織学的分類はWHO分類（2003年）に準拠するが，羅列的すぎるところは整理する
 3. 組織学的分類の説明も初学者にわかりやすいものとする
 4. 検体の取扱いについて，より具体的な記述をする
 5. 進行期分類，組織学的異型度（grading），細胞診について項を加える

　上記の方針に従って改訂作業が行われたが，内容が改定された重要な事柄として表層上皮性・間質性腫瘍に関わる次のことが挙げられる：
 1. 悪性の基準は，漿液性，粘液性，その他の腫瘍によってそれぞれ異なる

2. 悪性の基準には，細胞異型そのものは原則として用いず，間質浸潤の有無あるいはその程度を用いる
3. 間質浸潤を微小浸潤と微小浸潤を超える浸潤とに分ける
4. 漿液性腺癌は微小浸潤を超える浸潤を示す漿液性腫瘍と定義され，微小浸潤を示すだけのものは境界悪性腫瘍として扱う
5. 粘液性腫瘍とその他の腫瘍は間質浸潤があればすべて悪性とするが，高度の細胞異型を有する粘液性腫瘍で拡大性増殖を示すものに関しては，別に悪性の基準を定める
6. 腹膜インプラントを非浸潤性と浸潤性とに分ける

なお，用語の変更はあまり多岐にわたらぬよう慎重を期したが，「日本医学会医学用語辞典」（第3版）および「国際疾病分類腫瘍学（ICD-O）」（第3版）日本語版との整合性にも注意を払った。

今回の改訂作業中，病理系委員のみの委員会が8回，臨床系・病理系合同委員会が4回開催され，毎回，喧々諤々の議論が展開された。初版が素晴らしいものであっただけに，それを凌駕してさらに良いものを作りたいとの強い思いがあったからである。このような徹底的な議論と度重なる図譜の吟味を経て，ようやくここに改訂版を完成させることができた。委員各位，特に病理系委員にはこの2年間にわたる努力に対して深甚の謝意を捧げたい。今，卵巣腫瘍の診断と治療が新しい時代を迎えるなかで，この取扱い規約改訂版が大いに活用され，日々の病理診断や診療に役立ち，患者さんのQOL向上に資することを心から念願する。

平成21年11月

日本産科婦人科学会　卵巣腫瘍取扱い規約改訂委員会
委員長　安田　允
同　婦人科腫瘍委員会（平成19～20年度）
委員長　小西郁生
日本病理学会　卵巣腫瘍取扱い規約改訂病理系委員会
委員長　本山悌一

卵巣腫瘍取扱い規約改訂委員会

委員長	安田　允
婦人科系委員	岩坂　剛　宇田川康博　落合和徳　加来恒壽　嘉村敏治　小西郁生
病理系委員	坂本穆彦　手島伸一　長坂徹郎　本山悌一　安田政実
幹　事	深澤一雄

（50音順）

卵巣腫瘍・卵管癌・腹膜癌取扱い規約

病理編　第 1 版　序

　日本産科婦人科学会では，婦人科悪性腫瘍の臨床的な国際比較を可能にするために，FIGO分類とTNM分類を翻訳し採用してきた．同時に，卵巣腫瘍の組織学的分類については，1960年に設置された卵巣腫瘍委員会（樋口一成委員長）で作成された本邦独自の分類が長く用いられてきた．その後，1973年にWHOが上梓し通称"Blue book"と呼ばれる『Histological Typing of Ovarian Tumours（編集：S.F. Serov, R.E. Scully）』によって，混乱していた卵巣腫瘍の用語と分類が国際的に統一された．このことを受けて，日本産科婦人科学会と日本病理学会の協力を得て，WHO分類に準拠した『卵巣腫瘍取扱い規約 第1部 組織分類ならびにカラーアトラス』が1990年に刊行され，1992年には『卵巣腫瘍取扱い規約 第2部』として進行期分類を中心に臨床的な取扱いが包括された．しかし，FIGO分類とWHO分類のそれぞれの改訂は必ずしも呼応するものではなく両者に時間的な差異がみられ，卵巣腫瘍取扱い規約の第2版は，第1部は2009年，第2部は1997年の出版となっていた．今回，両学会では，FIGO分類ならびにWHO分類の各々の改訂に時機を得て新たな取扱い規約を公開することに務めた．その結果，FIGO 2014分類を採用した「臨床編」を青木大輔委員長の下に2015年8月に改訂し，WHO 2014分類を本邦の実情にあわせた「病理編」としてこの度発刊するものである．

　最新のFIGO分類とWHO分類では，卵巣，卵管，腹膜の腫瘍は，臨床的にも病理学的にもひとつに包含して取り扱われていることから，今回の病理編も先の臨床編に準じる構成とした．このことを加味して，本書の最初に，病理診断報告書の実際の記載様式を提示し，原発巣確定のための診断基準や治療効果判定を新たに加え，切除・摘出検体の取扱いについてもその点を敷衍した．中核をなす組織学的分類では，その歴史的変遷を踏まえて，今回の主な変更点と留意事項を明示・総括し，さらに組織学的異型度（Grade）にも言及しているので先ず必読されたい．臨床病理学的に汎用される卵巣腫瘍の分類については，上皮性腫瘍，間葉系腫瘍，混合型上皮性間葉系腫瘍，性索間質性腫瘍，胚細胞腫瘍，胚細胞・性索間質性腫瘍，その他の7項目とし，従来の境界悪性腫瘍は，腫瘍間で用いられる用語の齟齬を解消するために境界悪性腫瘍／低悪性度腫瘍／悪性度不明の腫瘍と表記し，国際疾病分類（ICD-O）にも配慮した．また，多種多彩な卵巣腫瘍の診断には欠かせない免疫組織化学を最後にひとつの表にまとめた．加えて，使用される語句や用語の統一を図り，日本産科婦人科学会編『産科婦人科用語集・用語解説集』をはじめ各専門領域の用語を採用した．

　今回の改訂の礎となった最新の『WHO Classification of Tumours of Female Reproductive

Organs（編集：R.J. Kurman, M.L. Carcangiu, C.S. Herrington, R.H. Young）』では，小西郁生，清川貴子，津田 均，福永眞治，三上芳喜，片渕秀隆の各教授がその編集に参画し，日本にあって詳細な情報が得られたことは幸運であった．実際の改訂作業は，日本産科婦人科学会婦人科腫瘍委員会の中に「卵巣腫瘍取扱い規約改訂小委員会（杉山 徹委員長）」が設置されて，2014年11月に着手，8回の委員会を経て，最終的に日本産科婦人科学会の理事会の承認を得た．この間，病理編にあっては要となる図譜の精選に三上芳喜教授の多大なご尽力を頂いたことに満腔の敬意と謝意を表する．本規約が，卵巣腫瘍・卵管癌・腹膜癌の診断と治療にあたる医家にとって共通の規準となり，その結果正確な登録の集積によってさらなる最良の治療指針が導かれることを祈念してやまない．

　最後に，これまで過去半世紀にわたり卵巣腫瘍の用語の統一と分類の標準化のために尽くされた先輩諸氏に本書を捧げる．

2016年5月

　　　　日本産科婦人科学会婦人科腫瘍委員会　　　　　　　　委員長　片渕　秀隆
　　　　卵巣腫瘍取扱い規約改訂小委員会　　　　　　　　　　委員長　杉山　　徹
　　　　日本病理学会卵巣腫瘍取扱い規約改訂病理系委員会　　委員長　安田　政実

卵巣腫瘍・卵管癌・腹膜癌取扱い規約
第 1 版委員会

日本産科婦人科学会婦人科腫瘍委員会（平成 25～26 年度）
委 員 長　　青木大輔
副委員長　　片渕秀隆
委　　員　　加藤秀則　　齋藤俊章　　鈴木　直　　蜂須賀徹

日本産科婦人科学会婦人科腫瘍委員会（平成 27～28 年度）
委 員 長　　片渕秀隆
副委員長　　榎本隆之
委　　員　　井箟一彦　　牛嶋公生　　齋藤俊章　　杉山　徹　　鈴木　直　　田代浩徳
　　　　　　永瀬　智　　万代昌紀　　三上幹男　　宮本新吾

本邦における卵巣腫瘍の登録のあり方検討小委員会（平成 25～26 年度）
委 員 長　　杉山　徹
委　　員　　岡本愛光　　紀川純三　　齋藤　豪　　長谷川清志

婦人科がん取扱い規約改訂小委員会（平成 27～28 年度）
委 員 長　　杉山　徹
委　　員　　榎本隆之　　岡本愛光　　田代浩徳　　馬場　長

卵巣腫瘍取扱い規約改訂小委員会
委 員 長　　杉山　徹
婦人科系委員　青木大輔　　牛嶋公生　　岡本愛光　　加未恒壽　　片渕秀隆　　紀川純三
　　　　　　小林裕明　　小林　浩　　齋藤　豪　　齋藤俊章　　蜂須賀徹　　深澤一雄
　　　　　　万代昌紀　　三上幹男　　八重樫伸生　　山上　亘
病理系委員　清川貴子　　笹島ゆう子　　津田　均　　福永眞治　　三上芳喜　　安田政実
幹　　事　　田代浩徳　　馬場　長
実務委員　　小島淳美

（50 音順）

付1

卵巣腫瘍・卵管癌・腹膜癌の診断に用いられる免疫組織化学

Cytokeratin（CK）	中間径フィラメントの一つで，主として上皮細胞の骨格をなす．分子量と生化学的特性により約20種類がある．
AE1/3, CAM 5.2	AE1/3は種々のcytokeratinに反応するカクテル抗体の名称で，低分子量から高分子量の抗体を含んでいるため様々な種類の上皮と反応し，pan-cytokeratinともよばれる．通常は上皮性腫瘍と非上皮性腫瘍の鑑別に有用であるが，平滑筋細胞などの間葉系細胞でも陽性となることがある．CAM5.2もAE1/3と同様に上皮・非上皮の鑑別によく用いられる抗体で，低分子量cytokeratinに反応する．同じく平滑筋などにも陽性を示すことがある．
CK7, CK20	腺上皮細胞で陽性となるcytokeratinであるが，腺癌の発生起源や組織型により発現パターンが異なる．卵巣粘液性腫瘍はいずれも陽性であることが多いのに対して，漿液性癌，明細胞癌，類内膜癌はCK7陽性，CK20陰性であることが多い．乳癌，肺腺癌も同様である．大腸癌はCK7陰性，CK20陽性であることが多い．肝細胞癌や腎細胞癌（淡明細胞型）は両者とも陰性のことが多い．ただし，例外的なパターンもあるため注意を要する．
CDX2	腸管上皮細胞の分化・増殖に関与する転写因子で，消化管原発腺癌に感度が高い．ただし，しばしば卵巣原発粘液性腫瘍でも陽性となることに留意する．
EMA	上皮細胞の表面に存在する膜結合型蛋白質であり，上皮性腫瘍あるいは腺癌のマーカーとして用いられる．Cytokeratinが細胞質内に発現するのに対し，EMAは細胞膜あるいは管腔面に沿った陽性像を示す．
Vimentin	間葉系細胞が含有する中間径フィラメントであり，非上皮性腫瘍で発現する．類内膜腫瘍や未分化癌でもしばしば発現する．
Estrogen receptor（ER），Progesterone receptor（PgR）	低異型度および高異型度漿液性癌，類内膜癌に陽性を示す．低分化型類内膜癌や明細胞癌では多くが陰性である．子宮内膜間質細胞や平滑筋細胞も陽性を示す．
PAX8	ミュラー管由来の上皮性腫瘍で高頻度に陽性となるが，卵巣粘液性癌や未分化癌では陰性例が多い．乳癌や消化器系の癌は陰性である．甲状腺癌や腎細胞癌では陽性となるため特異性は必ずしも高くない．
p16^{INK4a}，WT-1	p16^{INK4a}はサイクリン依存性キナーゼインヒビター，WT-1は癌遺伝子蛋白である．いずれも高異型度漿液性癌で高頻度に発現する．低異型度漿液性癌や漿液性境界悪性腫瘍ではWT-1は陽性であるが，p16^{INK4a}が強陽性を示すことはない．WT-1は類内膜癌や明細胞癌では陰性のことが多い．WT-1はまた，中皮への分化を示す細胞でも陽性となる．
p53	高異型度漿液性癌や高異型度類内膜癌で異常発現（びまん性強陽性またはnullとよばれる完全陰性パターン）を示す．明細胞癌では野生型の発現をすることが多い．
dMMR	DNAの複製時に生じる異常・ミスマッチの修復に関わる遺伝子には*MLH1*，*MSH2*，*MSH6*，*PMS2*があり，それらの陰性化によって機能消失を確認できる．
HNF-1β，Napsin A，BAF250a（ARID1A），	明細胞癌の診断時に有用である．HNF-1βは消化器癌でも陽性となることがある．Napsin Aは肺腺癌のマーカーとしても用いられる．ARID1Aは正常蛋白（wild type ARID1A）に反応するため，遺伝子異常を伴う頻度が高い明細胞癌や類内膜癌ではしばしば発現が消失する．
TTF-1, GATA3	ともに中腎様腺癌の診断に有用なマーカーとして用いられる．TTF-1は甲状腺癌，肺腺癌，および様々な臓器に発生する小細胞癌などにも陽性である．GATA3はGATA familyに属する転写因子の一つで，乳癌や膀胱癌（尿路上皮癌）で発現する頻度が高い．
SMARCA4/BRG1	脱分化癌および高カルシウム血症型小細胞癌で発現が消失する．
SMARCB1/INI1	脱分化癌で発現が消失する．
CD10	細胞表面に存在するエンドペプチダーゼでCALLAの別名がある．子宮内膜間質細胞および間質肉腫で発現することが知られているが，線維芽細胞や平滑筋肉腫，横紋筋肉腫，悪性リンパ腫などの様々な腫瘍でも陽性となる．
Desmin, α-SMA, HHF-35, h-caldesmon	平滑筋細胞のマーカーとして用いられる．Desminは横紋筋も含め，広く筋系マーカーとして用いられる．
Myogenin, MyoD1	横紋筋への分化に関与する転写因子で，従来使用されていたdesminやmyoglobinが細胞質で陽性となるのに対して，いずれも核が陽性となり，感度・特異度が高い．
Calretinin, Inhibin-α, CD99（MIC2），NCAM（CD56），FOXL2	性索間質性腫瘍のマーカーとして用いられる．FOXL2陽性は必ずしも*FOXL2*遺伝子異常の存在を証明するものではなく，成人型顆粒膜細胞腫以外の性索間質性腫瘍でも陽性を示す．Calretininは，中皮への分化を示すマーカーでもあり，中皮性腫瘍の診断にも有用である．

PLAP, CD117 (KIT), D2-40, OCT4	未分化胚細胞腫で陽性となる。D2-40 は，中皮への分化を示す細胞やリンパ管内皮でも陽性となる。
AFP, SALL4, Glypican 3	卵黄嚢腫瘍のマーカーとして用いられる。SALL4 は漿液性癌，glypican 3 は明細胞癌でも陽性になることがある。
CD30, Cytokeratin	胎芽性癌の診断に有用である。
hCG, hPL	絨毛癌の診断に有用である。合胞体栄養膜細胞は hCG が陽性で，一部の細胞性栄養膜細胞は hPL に陽性である。
Chromogranin A, Synaptophysin, NCAM (CD56)	代表的な神経内分泌マーカーである。発生臓器にかかわらず，神経内分泌癌で高頻度に陽性を示す。
SATB2	大腸および虫垂腫瘍の卵巣転移では高頻度に陽性，卵巣原発粘液性癌では陰性である。ただし，奇形腫由来の粘液性腫瘍ではしばしば陽性になり，類内膜癌にも陽性例がある。
Claudin 4	上皮性腫瘍では陽性となる頻度が高いのに対し中皮腫では陰性で，二者の鑑別に有用である。ただし，上皮性腫瘍でも陰性例が存在することに留意する必要がある。
BAP1, MTAP	中皮への分化を示すことが担保された病変で，BAP1（核），MTAP（細胞質）の発現が消失していれば中皮腫と診断できる。他の悪性腫瘍でも発現が消失することがある。
KIT, CD34, DOG1	胃消化管間質腫瘍 gastrointestinal stromal tumor で発現する。

注：免疫組織化学に用いられる抗体は昨今，マーカーとして総称されるが，個々の名称は遺伝子，遺伝子産物（＝抗原蛋白），抗体クローン，商品名などに由来し様々な意味をもつ。ここでは"通称"としてよく知られている名称を挙げた。なお，マーカー名／抗体名には略語が慣例的に用いられているものが少なくない。

付2

臨床的取扱いに基づいた卵巣腫瘍の分類

(卵巣腫瘍・卵管癌・腹膜癌取扱い規約 病理編 第1版より転載)

　次ページの表は,『卵巣腫瘍・卵管癌・腹膜癌取扱い規約 病理編 第1版』に掲載されていた,「臨床的取扱いに基づいた卵巣腫瘍の分類」である。
　臨床的取扱いが境界悪性あるいは悪性度不明の腫瘍に準じることがあるにもかかわらず,ICD-Oコードが悪性あるいは上皮内癌である腫瘍[*]〔微小乳頭状パターンを伴う漿液性境界悪性腫瘍,成人型顆粒膜細胞腫,未熟奇形腫(Grade 1～Grade 3),カルチノイド腫瘍〕は,あえていずれか一方に分類せず,両方にまたがるように記載していた。
　なお,現在は使用されていない組織型もあることに留意されたい。

	良性腫瘍	境界悪性腫瘍/低悪性度腫瘍/悪性度不明の腫瘍	悪性腫瘍
上皮性腫瘍	漿液性嚢胞腺腫・腺線維腫 漿液性表在性乳頭腫 粘液性嚢胞腺腫・腺線維腫 類内膜嚢胞腺腫・腺線維腫 明細胞嚢胞腺腫・腺線維腫 ブレンナー腫瘍 漿液粘液性嚢胞腺腫・腺線維腫 子宮内膜症性嚢胞	漿液性境界悪性腫瘍 粘液性境界悪性腫瘍 類内膜境界悪性腫瘍 明細胞境界悪性腫瘍 境界悪性ブレンナー腫瘍 漿液粘液性境界悪性腫瘍 微小乳頭状パターンを伴う漿液性境界悪性腫瘍*	低異型度漿液性癌 高異型度漿液性癌 粘液性癌 類内膜癌 明細胞癌 悪性ブレンナー腫瘍 漿液粘液性癌 未分化癌
間葉系腫瘍			類内膜間質肉腫
混合型上皮性間葉系腫瘍			腺肉腫 癌肉腫
性索間質性腫瘍	線維腫 莢膜細胞腫 硬化性腹膜炎を伴う黄体化莢膜細胞腫 硬化性間質性腫瘍 印環細胞間質性腫瘍 微小嚢胞間質性腫瘍 ライディッヒ細胞腫 ステロイド細胞腫瘍 セルトリ・ライディッヒ細胞腫（高分化型）	富細胞性線維腫 若年型顆粒膜細胞腫 セルトリ細胞腫 輪状細管を伴う性索腫瘍 セルトリ・ライディッヒ細胞腫（中分化型） その他の性索間質性腫瘍 成人型顆粒膜細胞腫*	線維肉腫 悪性ステロイド細胞腫瘍 セルトリ・ライディッヒ細胞腫（低分化型）
胚細胞腫瘍	成熟奇形腫 良性卵巣甲状腺腫 脂腺腺腫		未分化胚細胞腫 卵黄嚢腫瘍 胎芽性癌 絨毛癌（非妊娠性） 混合型胚細胞腫瘍 悪性卵巣甲状腺腫（乳頭癌, 濾胞癌） 脂腺癌 癌（扁平上皮癌, その他）
		未熟奇形腫（Grade 1～Grade 3）* カルチノイド腫瘍*	
胚細胞・性索間質性腫瘍		性腺芽腫 分類不能な混合型胚細胞・性索間質性腫瘍	
その他	卵巣網腺腫	ウォルフ管腫瘍 傍神経節腫 充実性偽乳頭状腫瘍	卵巣網腺癌 小細胞癌 ウィルムス腫瘍 悪性リンパ腫 形質細胞腫 骨髄性腫瘍

索 引

太字は図譜のページを表す

あ

悪性ステロイド細胞腫瘍　*41*
悪性転化　*46, 52, 63*
悪性ブレンナー腫瘍　*34,* **85**
悪性卵巣甲状腺腫　*51*
アデノマトイド腫瘍　*61*
アンドロゲン不応症　*47*

い

胃癌の転移　**104**
異型核分裂　*26, 41, 43*
異型子宮内膜症　*56*
異型度　*5, 6*
異型度分類　*47*
石綿暴露　*61, 62*
胃腺窩型細胞　*74, 75*
遺伝性乳癌卵巣癌　*26*
印環細胞　*59,* **82, 100**
印環細胞間質性腫瘍　*40,* **90**

う

ウィルムス腫瘍　*55*
ウォルフ管　*35, 53*
ウォルフ管腫瘍　*53,* **102**

お

黄体化莢膜細胞腫　*39,* **89**
黄体化細胞　*57*
黄体嚢胞　*56*
横紋筋肉腫　*29, 36*
大型孤在性黄体化卵胞嚢胞　*56*

か

階層型分枝　*68,* **82**
核下・核上空胞　*31, 48,* **80**
家族性大腸腺腫症　*63*
活動性核分裂型線維腫　*38*
顆粒細胞肉腫　*55*
顆粒膜細胞　*38, 41, 56*
カルチノイド　*51,* **100**
間質過形成　*57*
間質莢膜細胞過形成　*57*
癌肉腫　*36,* **86, 87**
間葉系腫瘍　*37*

き

奇形腫　*46*
奇形腫から発生する悪性腫瘍　*52*
奇形腫から発生する粘液性腫瘍　*52*
ギナンドロブラストーマ　*45*
偽乳頭状構造　*54*
偽封入体　*40*
急性腹症　*41*
境界悪性ブレンナー腫瘍　*34,* **84**
莢膜細胞　*38, 41, 56*
莢膜細胞腫　*38, 42,* **88**
胸膜中皮腫　*62*
切り出し　*8, 9, 10*

く

グリコーゲン　*32, 40, 43, 48*
クルケンベルグ腫瘍　*59,* **104**

け

経口避妊薬　*63*
結節　*29, 42, 51, 57*
血栓症　*32*
結腸癌　*59*
ケラチン肉芽腫　*31*
原始神経外胚葉性腫瘍　*52*
原発性腹膜癌　*13*
原発巣　*5*

こ

コーヒー豆様縦溝　*34, 42,* **91**
抗NMDA受容体脳炎　*46*
高異型度漿液性癌　*8, 26, 35, 60, 61, 73, 74*
高異型度漿液性癌の原発巣　*5*
高異型度類内膜癌　*35*
膠芽腫　*52*
硬化性間質性腫瘍　*39,* **89**
硬化性腹膜炎　*39*
高カルシウム血症型小細胞癌　*54,* **103**
膠腫症　*66*

甲状腺機能亢進　*51*
甲状腺腫性カルチノイド　*51,* **100**
甲状腺乳頭癌　*51*
甲状腺濾胞　**99, 100**
抗体　*119*
広汎性浮腫　*58*
高分化型セルトリ・ライディッヒ細胞腫　*44,* **93**
高分化型乳頭状中皮性腫瘍　*61*
合胞体栄養膜細胞　*47, 49, 50,* **99**
骨盤リンパ節　*15*
固定液　*8*
固定時間　*8*
ごま塩様　*51*
孤立性線維性腫瘍　*64*
コロイド　*45,* **99**
混合型上皮性間葉系腫瘍　*37*
混合型性索間質性腫瘍　*44*
混合型胚細胞腫瘍　*50*
混合癌　*36*

さ

細胞性栄養膜細胞　*49, 50,* **99**
杯細胞　*51, 75*
索状カルチノイド　*51*
砂粒小体　*26, 62, 72*

し

鹿の角　*39, 64*
子宮内膜漿液性癌　*5*
子宮内膜症性嚢胞　*29, 31, 33, 55,* **103, 104**
子宮内膜増殖症　*41, 56*
嗜銀線維　*42*
自己免疫性卵巣炎　*58*
脂腺腫瘍　*52*
島状カルチノイド　*51*
若年型顆粒膜細胞腫　*42,* **92**
充実性偽乳頭状腫瘍　*54*
術中迅速診断　*11*
腫瘍径　*8*
純粋型間質性腫瘍　*38*
純粋型性索腫瘍　*41*

太字は図譜のページを表す

上衣腫　52
漿液性境界悪性腫瘍　10, 24, 60, 68, 69, 70, 71, 72
漿液性腺線維腫　24, 60
漿液性嚢胞腺腫　24, 67
漿液性表在性乳頭腫　24
漿液性卵管上皮内癌　14, 26, 60, 106
漿液粘液性癌　1, 31
漿液粘液性境界悪性腫瘍　33, 82, 83
漿液粘液性腫瘍　33
漿液粘液性腺線維腫　33
漿液粘液性嚢胞腺腫　33
消化管外間質腫瘍　63
小細胞神経内分泌癌　55
衝突癌　36
腎芽腫　55
神経外胚葉性腫瘍　52, 101
神経内分泌癌　55
神経内分泌腫瘍　51
神経内分泌マーカー　51
進行期分類　12
浸潤性インプラント　1, 25
浸潤様式　23
侵入性浸潤　23, 29

す
髄上皮腫　52
膵臓　54
ステロイド細胞腫瘍　41, 90

せ
性索間質性腫瘍　38
成熟奇形腫　27, 28, 46, 95, 101
成熟神経膠組織　108
成人型顆粒膜細胞腫　41, 91, 92
性腺芽腫　52, 101, 102
性腺形成異常症　52
石灰化　26, 34, 43, 53, 72, 101
石灰化線維性腫瘍　65
セミノーマ　47
セルトリ・ライディッヒ細胞腫　44
セルトリ細胞腫　43, 93

線維芽細胞　38, 41
線維形成性小型円形細胞腫瘍　64
線維形成性反応　23, 72, 73, 77
線維腫　10, 38, 88
線維腫症　57
線維肉腫　41
腺肉腫　37, 87

そ
桑実胚様細胞巣　79
相同組換え修復異常　26, 27
早発思春期　42, 49, 50
早発閉経　30
組織学的異型度　5
組織学的分類　17
その他の腫瘍　63
その他の性索間質性腫瘍　45

た
胎芽性癌　49, 50, 99
退形成癌　29, 78
大細胞神経内分泌癌　55
大腸癌　59
大腸癌の転移　105
大網　10, 25, 71
多胎芽腫　46
脱分化癌　35
脱落膜症　58
多発性卵胞嚢胞　57
男性化徴候　52, 57
単胚葉性嚢胞性奇形腫　52

ち
中間型栄養膜細胞　99
中空管　43, 44, 93
中実管　43, 44, 93
中腎管　35, 53
中腎癌　35
中腎様腺癌　1, 35, 85, 86
虫垂　59
虫垂低異型度粘液性腫瘍の転移　105
中皮過形成　58
中皮腫　62, 107

中分化型セルトリ・ライディッヒ細胞腫　45, 94
直腸癌　59, 60
チョコレート嚢胞　55
治療効果判定　6

て
低異型度漿液性癌　1, 10, 25, 72
低異型度虫垂粘液性腫瘍　59, 65, 107, 108
低分化型セルトリ・ライディッヒ細胞腫　45, 95
デスモイド腫瘍　63
転移性腫瘍　59, 65, 104, 105
転移性粘液性腺癌　59

と
鍍銀染色　42

に
肉腫成分過剰増殖　37
日産婦2014　12
乳癌　59
乳癌の転移　105
尿路（移行）上皮型細胞　34
妊娠黄体腫　57
妊娠時顆粒膜細胞過形成　58
妊孕性温存　28

ね
粘液性カルチノイド　51, 100
粘液性癌　6, 28
　——（侵入性浸潤）　77
　——（癒合/圧排性浸潤）76, 77
粘液性境界悪性腫瘍　28, 75, 76
粘液性腺線維腫　27
粘液性嚢胞腺腫　27, 74, 75
　——（ミュラー管型）　75
捻転　24, 41, 56, 58

は
バーキットリンパ腫　55
胚細胞腫瘍　46
胚細胞・性索間質性腫瘍　52
排卵誘発剤　57

太字は図譜のページを表す

播種性腹膜平滑筋腫症　63

ひ

微小浸潤　23, **69**
微小浸潤性低異型度漿液性癌　25
微小転移　6
微小乳頭状／篩状漿液性境界悪性腫瘍　24, **69, 70**
微小嚢胞　**97**
微小嚢胞間質性腫瘍　39, **90**
微小濾胞　**91**
微小濾胞構造　**42**
非浸潤性インプラント　1, 25, **70, 71**
非妊娠性絨毛癌　49, **99**
びまん性大細胞型B細胞リンパ腫　55
びまん性腹膜平滑筋腫症　63
鋲釘細胞　32, **81, 83**
皮様結節　9, 46
皮様嚢腫　46
病理診断報告書　3

ふ

フィブリノイド壊死　40
腹痛　27, 49, 56, 58, 62
腹部線維腫症　63
腹部膨満　26, 62
腹膜　10, 31, 39
腹膜インプラント　25, **70, 71, 72**
腹膜偽粘液腫　28, 52, 59, 65, **107, 108**
腹膜腫瘍　61
腹膜神経膠腫症　47, **108**
腹膜中皮腫　62
腹膜低異型度漿液性癌　**71, 72**
腹膜に特有な間葉系腫瘍　63
腹膜播種　47, 51, 65
富細胞性線維腫　38, **42, 88**
ブレンナー腫瘍　27, 28, 34, **83, 84**
分類不能な混合型胚細胞・性索間質性腫瘍　53

へ

平滑筋腫瘍　63
平滑筋肉腫　29
壁在結節　27
壁在結節を伴う粘液性腫瘍　29, **77, 78**
ペプチドYY　51

ほ

放射線治療　47
放線菌　58
ホジキンリンパ腫　55
母斑性基底細胞癌症候群　38
ホブネイル細胞　32
ポリープ状子宮内膜症　56

み

未熟奇形腫　46, 66, **96**
未熟奇形腫の組織学的異型度分類　47
未分化癌　35, **86**
未分化肉腫　29
未分化胚細胞腫　47, **96**
脈絡膜乳頭腫　52
ミュラー管型上皮性腫瘍　65

め

明細胞癌　6, 10, 32, **81, 82**
明細胞境界悪性腫瘍　10, 32
明細胞腫瘍　31
明細胞腺線維腫　31
明細胞嚢胞腺腫　31
迷路様構造　**97, 98**
免疫組織化学　2, 119

も

網状型セルトリ・ライディッヒ細胞腫　45, **95**
毛髪　46, **101**
門細胞過形成　58

ゆ

遊離腫瘍細胞　6
癒合／圧排性浸潤　23, 29

ら

ライディッヒ細胞　38, 44
ライディッヒ細胞過形成　58
ライディッヒ細胞腫　40
ラインケ結晶　40, 44, 58
ラブドイド細胞　35
卵黄嚢腫瘍　48, 50, **97, 98**
卵管　5, 26
卵管結紮　30
卵管高異型度漿液性癌　**106**
卵管采　8, **60, 61**
卵管腫瘍　60
卵管内膜症　25
卵巣過剰刺激症候群　57
卵巣原発粘液性腫瘍　59
卵巣甲状腺腫　50, **99**
卵巣腫瘍　23
卵巣網の腫瘍　55
卵胞嚢胞　56

り

リポクローム色素　40, 41, 44
領域リンパ節　1, 14, 15
輪状細管　**43, 93**
リンパ腫　36, 55
リンパ性・骨髄性腫瘍　55
リンパ節転移　6, 35
リンパ節病変　25

る

類内膜癌　30, 41, **80**
類内膜間質肉腫　65
類内膜境界悪性腫瘍　30
　──（腺線維腫型）　**79**
　──（嚢胞内型）　**79**
類内膜腫瘍　29
類内膜上皮内腫瘍　30
類内膜腺線維腫　29, **78**
類内膜嚢胞腺腫　29

ろ

ロキタンスキー結節　9, 46
ロゼット　42, 47, 64, **91, 101**
濾胞癌　51

太字は図譜のページを表す

A

abdominal fibromatosis　63
adenocarcinoma　1
adenomatoid tumor　61
adenosarcoma　37
adult granulosa cell tumor　41
AFP　47, 48, 49
AJCC 第8版　6
ARID1A　27, 32
atypical endometrial hyperplasia　30
atypical endometriosis　56

B

BAP1関連腫瘍感受性症候群　62
*BRAF*変異　24, 26
BRCA1/BRCA2　26
Brenner tumor　34
Bull's eye appearance　**82**

C

Call-Exner body　42, **91**
CAP　3, 6
carcinoid　51
carcinosarcoma　36
clear cell adenofibroma　31
clear cell borderline tumor　32
clear cell carcinoma　32
clear cell cystadenoma　31
confluent/expansile　23
corpus luteum cyst　56
*CTNNB1*変異　30, 40, 54

D

dedifferentiated carcinoma　35
Denys-Drash症候群　52
desmin　42, 63, 65
desmoplastic small round cell tumor　64
*DICER1*変異　43, 45
DNAミスマッチ修復異常　30, 35, 36
dysgerminoma　47

E

EMA　31, 43
embryonal carcinoma　49
endometrioid adenofibroma　29
endometrioid borderline tumor　30
endometrioid carcinoma　30
endometrioid cystadenoma　29
endometriotic cyst　55
endosalpingiosis　25
eosinophilic hyaline globule　48
ependymoma　52
ER　5, 26, 27, 31, 34, 36, 42
*EWSR1-WT1*融合遺伝子　64
extragastrointestinal stromal tumor　63

F

FATWO　53
fibroma　38
fibromatosis　57
fibrosarcoma　41
FIGO　6
FIGO 2014　12
follicle cyst　56
Frasier症候群　52

G

Gardner症候群　63
germ cell tumors　46
germ cell-sex cord-stromal tumors　52
gliomatosis　66
gonadoblastoma　52
gynandroblastoma　45

H

hCG　47, 56
hCGβ　49, 50
high-grade serous carcinoma　26, 61
hilar cell hyperplasia　58
HNF-1β　32
hobnail cell　32, **81**, **83**
hPL　50
HPV非依存性胃型腺癌　65

I

ICCR　3, 60
ICD-Oコード　17
immature teratoma　46
infiltrative　23
ITC　6

J

juvenile granulosa cell tumor　42

L

LAMN　59, 65
large solitary luteinized follicle cyst　56
LDH　47
leiomyomatosis peritonealis disseminata　63
Leydig cell hyperplasia　58
Leydig cell tumor　40
low-grade serous carcinoma　25
luteinized thecoma associated with sclerosing peritonitis　39
lymphoid and myeloid tumors　55
Lynch症候群　30, 32

M

malignant tumors arising from teratomas　52
massive edema　58
mature teratoma　46
Meigs症候群　38, 39
mesenchymal tumors　37
mesonephric-like adenocarcinoma　1, 35
mesothelioma　62
metastatic tumors　59, 65
microcystic stromal tumor　39
microinvasion　23

太字は図譜のページを表す

microinvasive low-grade serous carcinoma *25*
mixed carcinoma *36*
mixed epithelial and mesenchymal tumors *37*
mixed germ cell tumor *50*
monodermal cystic teratoma *52*
monodermal teratomas *50*
morule *79*
mucinous adenofibroma *27*
mucinous borderline tumor *28*
mucinous carcinoma *28*
mucinous cystadenoma *27*
mucinous tumor with mural nodule *29*
mucinous tumors arising from teratomas *52*
Müllerian-type epithelial tumors *65*

N

N/C比 *25, 26, 35, 41, 42, 53, 54, 60, 64*
*NAB2-STAT6*融合遺伝子 *64*
nephroblastoma *55*
NET *51*
neuroectodermal-type tumors *52*
neuroendocrine carcinoma *55*
non-gestational choriocarcinoma *49*

O

OCT4 *48, 49, 53*
OHSS *57*

P

p16^{INK4a} *54*
p53 *27, 31, 54, 60*
p53 signature *61*
PARP阻害薬 *26*
*PDGFRA*変異 *64*

periglandular cuffing *37*
peritoneal implant *25*
Peutz-Jeghers症候群 *43, 61*
polyembryoma *46*
polypoid endometriosis *56*
pregnancy luteoma *57*
primitive neuroectodermal tumor(PNET) *52*
pseudomyxoma peritonei（PMP） *65*
pTNM *15*

S

salt-and-pepper *51*
sarcomatous overgrowth *37*
Schiller-Duval body *48,* **97**
sclerosing stromal tumor *39*
SEE-FIM *5, 60, 61*
seromucinous adenofibroma *33*
seromucinous borderline tumor *33*
seromucinous cystadenoma *33*
serous adenofibroma *24, 60*
serous borderline tumor *24, 60*
serous cystadenoma *24*
serous surface papilloma *24*
serous tubal intraepithelial carcinoma（STIC） *5, 14, 26, 60,* **106**
Sertoli-Leydig cell tumor *44*
SETパターン *27, 74*
sex cord tumor with annular tubules *43*
sex cord-stromal tumors *38*
signet-ring stromal tumor *40*
small cell carcinoma, hypercalcemic type *54*
smooth muscle tumors *63*
solid pseudopapillary neoplasm *54*
solid tubule *43*

solitary fibrous tumor *64*
somatic neoplasms arising from teratomas *50*
staghorn *39, 64*
steroid cell tumor *41*
*STK11*異常 *43*
stromal hyperplasia *57*
stromal hyperthecosis *57*
struma ovarii *50*
Swyer症候群 *52*
S状結腸 *13*

T

teratomas *46*
thecoma *38*
TNM分類 *14*
*TP53*変異 *26, 28*
TTF-1 *35, 49, 51*
tumor-like lesions *55*
tumors of the rete ovarii *55*
two cell pattern *48,* **96**

U

UICC 第8版 *6, 14*
undifferentiated carcinoma *35*

W

well-differentiated papillary mesothelial tumor *61*
WHO分類 第4版 *1*
WHO分類 第5版 *1, 17, 23*
Wilms tumor *55*
Wolffian duct *35*
Wolffian tumor *53*
WT-1 *5, 26, 27, 31, 42, 43, 44, 54, 62*

Y

yolk sac tumor *48*

その他

10%中性緩衝ホルマリン液 *8*
α-SMA *42, 63*
β-catenin *40, 54, 63*

卵巣腫瘍・卵管癌・腹膜癌取扱い規約 病理編 第2版

2016年 7月15日　第1版（病理編）発行
2022年12月25日　第2版（病理編）第1刷発行

編　集	公益社団法人　日本産科婦人科学会	
	一般社団法人　日本病理学会	

発行者　　福村　直樹
発行所　　金原出版株式会社
　　　　　〒113-0034 東京都文京区湯島 2-31-14
　　　　　電話　編集 (03)3811-7162
　　　　　　　　営業 (03)3811-7184
　　　　　FAX　　 (03)3813-0288
　　　　　振替口座　00120-4-151494
　　　　　http://www.kanehara-shuppan.co.jp/

Ⓒ 日本産科婦人科学会・日本病理学会, 2016, 2022

検印省略

Printed in Japan

ISBN 978-4-307-30153-4　　　　　　　　　　印刷・製本／横山印刷

JCOPY　＜出版者著作権管理機構　委託出版物＞
本書の無断複製は著作権法上での例外を除き禁じられています。複製される場合は，そのつど事前に，出版者著作権管理機構（電話 03-5244-5088, FAX 03-5244-5089, e-mail：info@jcopy.or.jp）の許諾を得てください。

小社は捺印または貼付紙をもって定価を変更致しません。
乱丁，落丁のものは小社またはお買い上げ書店にてお取り替え致します。

WEB アンケートにご協力ください

読者アンケート（所要時間約 3 分）にご協力いただいた方の中から
抽選で毎月 10 名の方に図書カード 1,000 円分を贈呈いたします。
　　　　　　　　アンケート回答はこちらから ➡
　　　　　　　　https://forms.gle/U6Pa7JzJGfrvaDof8